D-027

TENNESSEE WILLIAMS

L'Oiseau sans pattes

Maria Morena, Lieu Commun.

Le Livre de Boz, Balland.

Le Blanc d'Espagne, Balland.

Félicie Dubois

TENNESSEE WILLIAMS

L'Oiseau sans pattes

ÉDITIONS BALLAND

33, rue Saint-André-des-Arts
75006 Paris

À Jeanne Dubois née Barathon.
19 mars 1903 - 26 avril 1987

Vous savez qu'il existe une espèce d'oiseaux
qui n'ont pas de pattes ?
Ils ne peuvent se poser nulle part
et ils passent leur vie à planer en plein ciel.
C'est vrai...
Ils passent toute leur vie en vol,
ils dorment sur le vent, oui...
Ils étendent leurs ailes et s'endorment sur le vent...
Ils ne touchent le sol qu'une seule fois :
quand ils meurent.

La Descente d'Orphée
Tennessee Williams (1957).

Avant-Propos

Tennessee Williams était constamment en vol, d'un endroit à l'autre, comme s'il craignait qu'un lieu ne devienne sa prison. C'était un fugitif. J'ai essayé de suivre sa trace.

Si de nombreux écrivains sont les chroniqueurs de leur vie, chez Tennessee, le drame de sa sœur Rose est l'ombre qui viendra souligner le plus anodin des événements survenus dans son existence et retranscrits dans son œuvre. Comme si ce n'était pas tant ce qu'il était appelé à vivre qui pouvait avoir une signification, mais la capacité qu'il avait d'exprimer la folie de sa sœur, des siens, et sa propre terreur d'être vivant.

J'ai tenu à lui rester fidèle en laissant autant de liberté au lecteur que lui-même en laissait à ses personnages. Et même si, dans l'agencement de mon texte, j'essaie de faire dialoguer les événements et de mettre en évidence le sens d'une œuvre, je n'ai jamais voulu analyser ni définir la parole du poète.

Lorsque Tennessee évoquait son art, à aucun

11

moment il n'a eu la tentation de théoriser ses pièces, ses personnages, leurs propos. Je ne me serais jamais permis ce qu'il se refusait.

Tennessee Williams a connu une certaine éclipse du milieu des années 60 à la fin des années 80. Vingt ans de rejet d'une œuvre illisible par une société impliquée dans d'autres valeurs : essentiellement mercantiles et matérialistes.

Tennessee renvoyait une image troublée d'êtres souffrants, incapables de s'adapter à la réalité d'un siècle en marche vers de nouveaux horizons. Aujourd'hui, nous pouvons l'entendre. Nous approchons des rives d'un monde neuf et avons plus que jamais besoin de la grandeur de son âme et de l'immensité de son cœur.

*

Prologue

Qui a tué Tennessee Williams ?

Vendredi 25 février 1983, dix heures cinquante-quatre, heure locale. Élysée Hotel, 54e Rue, New York, États-Unis. Le corps inanimé d'un homme est découvert dans la salle de bains de la suite 1302. Dans sa main crispée, un tube de Seconal, des somnifères. Sur la table de chevet, divers médicaments (des amphétamines, des antidépresseurs, des gouttes pour les yeux, des gouttes pour le nez) et une bouteille de vin rouge.

Il aurait eu soixante-douze ans le 26 mars suivant.

Célibataire, homosexuel, poète, écrivain, auteur dramatique, Thomas Lanier Williams dit Tennessee, né le dimanche des Rameaux 1911 à Columbus, dans le Mississippi.

Le petit corps (un mètre soixante-cinq) est emporté par la police de New York et confié au Dr Elliot Gross, responsable des services médico-légaux de la ville.

Suicide ? Overdose ? Meurtre ? Dans une lettre datée du 22 juin 1968 et envoyée à Collinsville (Illinois), Tennessee Williams confiait à son frère cadet Dakin : « Si quelque chose d'une nature violente devait m'arriver, achevant ma vie brutalement, ce ne serait pas un cas de suicide comme cela voudrait le laisser paraître. »

Comme les personnages de ses pièces, Tennessee Williams se sentait menacé. Paranoïaque, il était persuadé que tout le monde lui en voulait. Fâché avec la plupart de ses amis, il avait rompu avec son agent littéraire, Audrey Wood, en 1971, après quarante ans de collaboration. Hypocondriaque, il était toujours en train de mourir d'une maladie de cœur ou de foie. En 1948, un médecin, qu'il consultait régulièrement, confia à son ami Paul Bigelow : « Je pense qu'il serait préférable que vous ne contrariiez pas M. Williams quant à son illusion d'être gravement malade. Cela le rendrait très malheureux de penser qu'il est en parfaite santé et il pourrait en faire une attaque[1]. »

Dans le rapport de police, un certain John Uecker, la dernière personne à avoir vu Tennessee vivant, insiste sur le fait que l'écrivain avait une peur affreuse de mourir seul : « Il m'a récité un poème qu'il récitait souvent, *Old Men Go Mad at Night*[2].

Dans l'attente des résultats de l'autopsie, les journaux publient la nouvelle : « Le scénariste des mondes obscurs disparaît » (*Le Monde*). « Tennessee Williams, moraliste, puritain et narcissique, est mort » (*Le Soir* de Bruxelles). « Mort d'un peintre de la

---

1. *The Kindness of Strangers*, Donald Spoto. Ballantine Books, New York, 1986.
2. « Les vieux hommes deviennent fous la nuit. » Ce long poème est le premier du recueil publié en 1977, *Androgyne, Mon amour*, par New Directions Books. Il chante la complainte des hommes qui ont perdu leur jeunesse, perdu leurs amours, et vont se coucher seuls dans les draps glacés de leur solitude.

passion, du désir et de l'échec » (*Le Journal de Genève*). « Writer found dead in hotel » (*New York Times*)...

L'annonce en étonne plus d'un : il était donc encore vivant ? Oui. Presque.

Après une longue descente aux Enfers dans les années 60, période qu'il appelait son « âge de pierre », Tennessee remonte la pente. Pas jusqu'au sommet, pas jusqu'au succès ; mais l'inspiration ne le quitte jamais. Il a plusieurs projets en chantier et récrit sans cesse ses anciennes pièces depuis longtemps devenues des classiques. Pour certaines, il y a autant de variantes que de nouvelles éditions. Malgré l'état d'épuisement dans lequel sa dépendance aux médicaments et à l'alcool l'avait plongé depuis tant d'années, il se levait tous les matins pour travailler. Jusqu'à l'aube du 25 février. La machine à écrire portative dont il ne se séparait jamais ne dérangera plus ses voisins de palier.

Quelques jours plus tard, l'autopsie livre enfin son secret. Tennessee redoutait la mort. Il la redoutait tant qu'il ne cessait de la provoquer. Pour être prêt. Pour savoir d'où elle viendrait. Il l'attendait devant la porte principale, elle est arrivée par un trou de souris. Trop discrète pour ne pas être sournoise. Étonnante, incongrue, presque comique.

Tennessee Williams ne s'est pas suicidé. Il n'est pas mort d'une overdose. Personne ne l'a assassiné. Il s'est étouffé avec le *bouchon* d'un tube de médicaments.

Selon toute probabilité, il aura voulu ouvrir le

Prologue

flacon avec ses dents, avalant la capsule qui provoquera l'asphyxie.

Il disait : « Je mourrai d'une grappe de raisins mal lavée[1]. »

En dehors de ce que lui rapportaient ses droits d'auteur, Tennessee Williams ne possédait pas grand-chose. Une maison, « une jolie petite maison genre hôtel particulier pour Tom Pouce[2] », au 1431 Duncan Street, Key West (Floride).

*

1. Réplique reprise par Blanche Du Bois, dans *Un tramway nommé Désir*.
2. *À cinq heures mon ange*. Lettres à Maria Saint Just. Éditions Robert Laffont pour la traduction française, 1991.

Key West : dead end

Jeudi 11 juillet 1991. Vol 915, Boeing 767, United Airlines. Paris-Miami via Washington.

Le ciel est bleu au-dessus des nuages et j'ai profité de tous les alcools. Les hôtesses sont souriantes. La climatisation est trop forte, l'écran de cinéma trop éloigné. L'atterrissage me crispe sur mon siège, les portes ne s'ouvrent pas.

Visa accordé pour quatre mois, valise fouillée, agenda inspecté. *What about the kindness of strangers*[1] ?

Agence Alamo Rent a Car, cent cinquante dollars la semaine pour une chevrolet Corsica bleu marine. L'essence coûte deux fois moins qu'en Europe et elle n'a pas d'odeur.

La route des Keys commence à Coconut Grove, joli quartier de Miami. L'US 1 South est l'une des plus belles routes du monde : un chapelet de petites îles

---

1. « Et la gentillesse des étrangers ? »
Blanche Du Bois a confiance en la gentillesse des étrangers ; elle en dépend : « I have always depended on the kindness of strangers » (*Un tramway nommé Désir*).

reliées entre elles par des kilomètres de pont au-dessus de la mer. À l'est, l'océan Atlantique ; à l'ouest, le golfe du Mexique. Tout au bout, au point extrême sud des États-Unis, Key West, the Conch Republic.

Key West a des allures de Forum des Halles tropical. Les motels y sont plus chers qu'ailleurs. Un petit train fait le tour de la vieille ville. Les touristes, plutôt jeunes, plutôt européens, boivent de la bière au Sloppy Joe's Bar sur Duval Street.

Ernest Hemingway est partout : T-shirts, badges, posters... On peut visiter pour quelques dollars la maison dans laquelle il séjourna, au 907 Whitehead Street.

Celle de Tennessee Williams est à vendre.

Les Américains, qui ne ratent pas une occasion de graver une plaque commémorative, n'ont pas pu oublier la maison de l'auteur d'*Un tramway nommé Désir*. Que s'est-il passé ? La maison est-elle piégée, hantée, en sucre ou en papier mâché ? Tennessee l'aurait-il négligée, oubliée, reniée ? Non. C'est un nid douillet aménagé pour lui plaire. Duncan Street est une familière.

C'est en 1941 que Tennessee Williams découvre Key West. Il a trente ans et sa première grande pièce, *Battle of Angels* vient de recevoir un accueil désastreux à Boston. Il prend une chambre au Tradewinds Hotel. En novembre 1949, il loue pour la première fois la maison de Duncan et y emménage avec son ami Franck Merlo et son grand-père paternel. Il l'achète en 1950 à Lee et Katherine Huyck Elmore de New York : « C'est une des rares décisions spontanées de mon existence. J'adore Key West. C'est ici que je travaille le mieux. J'ai décidé d'en faire mon chez-moi », aimait-il à répéter.

Il y fait construire une piscine, un petit studio privé réservé aux heures matinales d'écriture et un kiosque (The Jane Bowles Summer House), dessiné par son ami architecte Franck Fontis.

Située dans un quartier sans prétention entre la vieille ville et la Casa Marina, Duncan Street est une rue étroite, difficile à trouver. La maison du 1431 est blanche, en bois, avec des volets rouges. Tout est fermé et protégé par un œil électronique. Comment faire pour y entrer ? Téléphoner à l'agence immobilière, se faire passer pour un acheteur potentiel et prendre rendez-vous.

Le 25 juillet 1991, alors qu'un orage tropical inonde la ville, je pénètre dans la propriété condamnée. Au rez-de-chaussée, deux chambres, une cuisine très haute de plafond avec des vitraux, comme dans une église, et un salon. Au premier, une salle de bains et une troisième chambre. L'escalier est étroit. Les murs sont blancs.

Depuis 1983, le 1431 Duncan Street est inoccupé. Les meubles ont été déménagés à New York, au frais, dans l'antichambre d'une salle des ventes. Ici, sous le climat humide, tout se dégrade très vite. Huit ans que les murs pourrissent. Les admirateurs de Tennessee ont essayé de sauver la maison (notamment les fondateurs du Tennessee Williams Fine Arts Center). En vain. Maria est inébranlable. Maria ne veut pas céder.

Maria Britneva, petite actrice russe devenue lady Saint Just, une respectable dame anglaise, s'est aujourd'hui imposée comme l'unique exécutrice testamentaire (avec un avocat new-yorkais, John Eastman) des biens de son ami disparu.

Tennessee Williams et Maria Saint Just se sont rencontrés en juin 1948, à l'occasion de la première londonienne de *La Ménagerie de verre*. Elle fait partie de ces « femmes monstres[1] » dont Tennessee raffolait : Tallulah Bankhead (actrice), Marion Vaccaro (riche héritière), Carson McCullers (écrivain), Jane Bowles (écrivain) et Anna Magnani (actrice). À ce jour, il ne reste plus que Maria, et Maria n'a pas l'intention de partager. Elle ne veut pas que le nom de Tennessee soit « utilisé ». Pas de plaque, pas de musée, pas de mémoire collective. Un souvenir intime entre elle et lui. La maison devra être vendue comme n'importe quelle autre maison.

Mais n'importe quelle maison en mauvais état ne vaut pas quatre cent mille dollars[2].

Sara Cook, directrice de l'agence immobilière chargée de cette mission impossible, a rencontré lady Saint Just en 1986. En manteau de fourrure par 35 degrés à l'ombre, chaussée de Reebock noires, elle paraissait très émue de retrouver la maison dans laquelle elle n'était pas revenue depuis 1980. À la suite de son passage, elle a laissé un souvenir dans le jardin : un citronnier des Keys avec les fruits duquel les gens du coin font des tartes amères au goût de savon. Elle a serré vigoureusement la main de Sara

---

1. Gore Vidal, dans *Janes Bowles, une femme accompagnée*. Biographie par Millicent Dillon, 1976. Éditions Deuxtemps-Tierce pour la traduction française.
2. La maison valait cent mille dollars en 1983, soit dix fois le prix payé en 1950. Maria Saint Just en demande quatre cent mille (à peu près deux millions quatre cent mille francs).

Key West : dead end

Cook en lui disant : « J'ai planté ce citronnier pour que vous vous souveniez de ma langue acide. »

En novembre 1991, je l'ai rencontrée à Paris. Elle m'a dit que la maison était vendue, prétendant ne pas savoir à qui. Elle portait une robe violette, baragouinait le français. Les yeux brillants, petite, légère et langue de vipère, elle avait l'air d'une sorcière.

*

Tennessee Williams aurait aimé disparaître au large de Key West, comme son idole, le poète américain Hart Crane. Il avait ajouté un codicille à son testament : « À ma mort, mon corps devra être jeté d'un bateau, là où Hart Crane s'est noyé[1]. »

Il est enterré à Saint Louis (Missouri), ville qu'il détestait.

*

1. Souhait repris en partie par Blanche Du Bois dans *Un tramway nommé Désir.*

Saint Louis blues

Il y a des parfums, de ce côté-ci de l'Atlantique, que l'on ne sent jamais en Europe. Un mélange de fraise, de vanille et de concentré de tomate. Le ciel surtout est différent. Il paraît plus vaste. Les nuages sont blancs. Pas gris, non, cotonneux.

Ingratitude ou ignorance ? Dans cette ville, quand je dis « Tennessee Williams », on me répond : « le chanteur ? »

Comme je comprends sa haine ! Coincée entre deux fleuves sales, le Missouri, au nord-ouest, et le Mississippi, à l'est, qui trace une frontière naturelle avec l'État de l'Illinois, Saint Louis est une cité triste qui donne la migraine. Il y est resté vingt ans, y est revenu souvent. La famille Williams vivait à Clayton, une banlieue au nord-ouest du centre-ville, voisine de l'université Washington, près du parc forestier. Un quartier mal famé la nuit et désert la journée. Un minibus décoré de crucifix passe dans la 6ᵉ Rue. Sur le toit, un haut-parleur diffuse un cantique : *God Bless America*. Des Noirs sur le trottoir s'ennuient, c'est le blues de Saint Louis : « ... feeling Tomorrow Like I Feel Today... [1] »

Si cette province a une population, vous la trouverez dans le centre commercial de l'Union Station (ancienne gare de chemin de fer transformée en immense supermarché) ou à l'Adam's Mark Hotel, le plus grand de la ville, situé au bord du Mississippi.

Dans l'Union Station, il y a un café nommé Key West, décoré de photos d'écrivains : quatre-vingt-dix-neuf clichés d'Hemingway pour un de Tennessee Williams. Parmi cette galerie de portraits, celui de Dakin Williams posant fièrement près de Marlon Brando.

Le patron m'explique que Dakin, avocat à la retraite, paie ses ardoises dans les bars de Saint Louis avec des photos dédicacées de son frère. La tombe de Tennessee Williams ? Non, il ne sait pas où elle est. Un pêcheur à côté de moi a repéré mon accent. Il me dit tout souriant : « Saint Louis est une ville française ! » Si on veut... Le directeur de l'Adam's Mark Hotel est français. La banlieue se nomme Bellefontaine, Florissant, Crève-Cœur (titre d'une pièce courte que Tennessee écrira en 1975), Olivette, Bellerive, Frontenac, Des Pères, Centreville... L'homme me donne son adresse pour que je lui envoie une carte postale de la tour Eiffel. La tombe de Tennessee Williams ? Non, il ne sait pas où elle est.

Dans le hall de l'hôtel, une hôtesse blonde aux ongles longs de dix centimètres me donne la liste des

---

1. La chanson *St Louis Blues*, écrite par W.C. Handy, a été rendue célèbre dans le monde entier par Bessie Smith.

cimetières de la région. La tombe de Tennessee Williams ? Non, vraiment, elle ne sait pas où elle est.

Je loue un taxi pour la journée. Le chauffeur, un Noir d'une cinquantaine d'années coiffé d'une casquette de base-ball qui n'a pas été lavée depuis sa première dent de lait, s'étonne : « Vous êtes venue d'Europe pour chercher une tombe ? »

J'acquiesce en souriant bêtement et lui tends la liste des cimetières. Il démarrre. Nous roulons. Je visite. Il attend. Nous repartons. Je coche. Je n'ose pas regarder la somme affichée au compteur. Je respire lentement pour régulariser les battements de mon cœur. Le chauffeur s'ennuie et s'inquiète. Je le rassure et lui demande de continuer. À huit miles au nord de la ville, il y a l'immense Calvary Cimetery, 5239 West Florissant Avenue. Je montre au chauffeur l'endroit sur la carte. Il grogne et accélère un peu.

L'endroit fait plusieurs hectares. Nous roulons à travers les allées, en vain. Les gros rectangles de pierre plantés dans la terre restent muets. Les inscriptions ne sont pas visibles de la route. Il faut faire le chemin à pied. Le chauffeur propose de m'aider. Il descend de la voiture, allume une cigarette et part en rajustant sa casquette. Je reste un moment sans savoir où aller et, soudain, je me mets à courir, moi qui ne cours jamais. Dans la quinzième section, au bord d'une route goudronnée, je tombe à genoux sur le sol. Je lève les yeux, mon corps est secoué de sanglots ridicules, un nom est gravé sur la pierre :

Saint Louis blues

TENNESSEE WILLIAMS
1911-1983
POET PLAYWRIGHT

En dessous, une citation de *Camino Real* :
« THE VIOLETS IN THE MOUNTAINS HAVE BROKEN
THE ROCKS ![1] »
Sur l'autre face du rectangle, il est écrit tout simplement :

THOMAS LANIER WILLIAMS
26 mars 1911-25 février 1983

avec une rose, en relief, très sobre, une épine.

Tennessee repose à un mètre de sa mère, Edwina Estelle Dakin Williams, décédée le 1er juin 1980. Deux rectangles en pierre plantés dans la terre. Gris-bleu pour Edwina, légèrement rose pour Thomas.

J'appelle le chauffeur de taxi qui revient sur ses pas. Il me demande si c'est un parent. Je dis oui, mon grand-père. J'explique que, quand il est mort, j'étais trop jeune pour faire le voyage. Que dès que j'ai eu l'argent, je suis venue. Il comprend.

*

---

1. « Les violettes dans les montagnes ont brisé les pierres. »

Première partie

Mississippi Williams
(1911-1918)

Le temps du bonheur

À la fin du XVIIIe siècle, le sud des États-Unis d'Amérique est une terre de tabac et de canne à sucre. Au début du XIXe siècle, c'est au tour du coton de s'implanter sous un climat qui lui convient parfaitement. Les récoltes sont excellentes. La Grande-Bretagne, puis l'Europe entière se mettent à acheter du coton américain. Mais les hommes, qui pouvaient cueillir jusqu'à deux cents livres de coton par jour, ne peuvent en égrener qu'une seule dans le même temps. La production reste bloquée, jusqu'à ce qu'un certain Eli Whitney invente la première égreneuse à manivelle : le Sud prend alors son essor. Très vite la main-d'œuvre manque et les planteurs réclament davantage d'esclaves noirs. Des bateaux à voiles vont les chercher sur le continent africain. Ils sont entassés comme du bétail et ramenés sur la côte américaine. Plus d'esclaves, cela signifie plus de coton, donc plus de dollars. Le Sud s'enrichit rapidement : au cœur des grandes plantations, les maisons s'embellissent et remplacent les petites cabanes en bois. La première moitié du XIXe siècle constitue l'âge d'or des États du Sud qui se proclament esclavagistes, pour des raisons d'abord économiques. Le Nord est abolitionniste. C'est le conflit, la rupture. La guerre de Sécession durera quatre ans. L'empire du Sud s'écroule et le coton est emporté par le vent...

Les États du Sud (Louisiane, Mississippi, Tennessee, Alabama, Georgie, les Carolines et la Virginie) resteront marqués du sceau de la défaite et de l'humiliation. Les Blancs ont perdu tout ce qu'ils possédaient et les Noirs, privés d'identité, ne reverront jamais leur terre natale. Les esclaves ont beau être affranchis, un siècle de ségrégation raciale, parfois plus cruelle encore que par le passé, les maintiendra dans une condition de dépendance. Une situation de souffrance dont le Sud ne s'est toujours pas remis.

Au début du siècle, la majeure partie de la population, noire, vit sous l'autorité des Blancs. Les planteurs sont anglo-saxons (si possible), protestants (de préférence) et conservateurs (évidemment). Ils traitent les Noirs « comme ils le méritent », une fesse posée sur la Bible et l'autre sur un revolver.

En 1905, le révérend Walter Edwin Dakin est nommé pasteur de l'église épiscopalienne Saint Paul à Columbus (Mississippi). Il s'y installe avec sa femme, Rosina, et sa fille, Edwina. La famille d'un homme d'Église provoque le respect et inspire l'hypocrisie. C'est un milieu protégé et étroit, un univers clos et rassurant.

En 1906, Edwina a vingt-deux ans. Elle rencontre Cornelius Coffin Williams de Memphis (Tennessee). Il descend du premier gouverneur du Tennessee,

Le temps du bonheur

John Sevier, dont la famille remonte au petit royaume de Navarre où l'un de ses ascendants aurait été chancelier du duc de Bourbon. Les Sevier se seraient divisés en deux branches : catholiques, d'un côté, et huguenots, de l'autre. Les seconds seraient partis pour l'Angleterre après le massacre de la Saint-Barthélemy [1].

Le 1ᵉʳ juin 1907, Edwina écrit dans son journal : « Beaucoup d'hommes m'ont dit : "Je vous aime", mais seulement trois : "Voulez-vous m'épouser ?" J'en épouse un lundi prochain. Fini. Adieu [2]. »

Jeune femme de caractère, élégante et cultivée, elle prend le nom d'un ancien sous-lieutenant de la guerre hispano-américaine, devenu représentant de commerce, grand amateur de poker et d'alcool.

Le couple passera sa lune de miel à Gulfport, petite station balnéaire à l'extrême-sud de l'État du Mississippi, sur le golfe du Mexique.

Deux ans plus tard, Edwina, enceinte de son premier enfant, retourne chez ses parents, à Columbus. Cornelius vient la voir de temps en temps. Ils resteront séparés jusqu'en 1918.

Le 17 novembre 1909, Edwina Estelle Williams donne naissance à une fille baptisée Rose Isabel en hommage à ses deux grand-mères.

Le 26 mars 1911, dimanche des Rameaux, Rose a un petit frère baptisé Thomas Lanier en hommage à son grand-père paternel.

---

1. Tennessee, très préoccupé de généalogie, y fait référence dans les premières pages de ses *Mémoires* écrits en 1973 et publiés aux États-Unis aux éditions Doubleday Éditions Robert Laffont pour la traduction française, 1978.
2. *Remember Me to Tom*, Edwina Dakin Williams. G.P. Putnam's Sons. NY. 1963.

En 1913, le révérend Walter Edwin Dakin, son épouse, « Grande », sa fille, « Miss Edwina », et ses deux petits-enfants, s'installent à Nashville (Tennessee). Ils y restent deux ans. Après un bref passage à Canton (Mississippi), ils emménagent au cœur du delta, à Clarksdale, à quatre-vingt miles au sud de Memphis.

C'est le temps du bonheur. Le père est absent, mais les enfants ont leur maman et Ozzie la nurse noire qui leur raconte la légende du Sud au temps des cueilleurs de coton. Pour les petits-enfants du révérend, les belles inclinent leur ombrelle. La vie n'est que douceur et délicatesse. Rose et Tom ont des boucles blondes, ils sont sages et souriants, et, surtout, ils adorent leur grand-mère. Deux nouvelles de Tennessee Williams, *L'Ange dans l'alcôve*, écrite en 1943, et *Grande*, qui date de 1964, honorent le « poème vivant » qu'était Rose Dakin : « Nous l'appelions "Grande" [...]. Elle était tout ce que nous connaissions de Dieu. »

Née Rosina Maria Francesca Otte, de parents qui ont fait le voyage de Hambourg à Cincinnati, au début du XIXe siècle, elle est dure à la tâche, toute germanique dans ses efforts. Professeur de musique, elle enseigne le violon et le piano à la petite Rose. Mariée à un maître d'école devenu pasteur, elle sacrifie son confort et son insouciance à la carrière de son époux et au bonheur de sa fille et de ses petits-enfants. Le grand-père Dakin est bon, mais égoïste. Edwina a épousé un homme absent. « Grande » est présente, solide et généreuse.

Économe et prévoyante, elle aidera Tom jusqu'à sa

mort, en 1944, date à laquelle Tennessee Williams connaît son premier grand succès : « Je pense que le regret le plus aigu de ma vie n'a rien à voir avec moi personnellement [...]. C'est le fait que ma grand-mère soit morte un an exactement avant que j'aie pu lui rendre un peu de tout ce qu'elle m'avait donné », confiera-t-il à un ami.

Clarksdale, 1916. Thomas a cinq ans et regarde les fleurs pendant des heures. Rose en a sept et lui apprend les secrets des rivières et des forêts. L'enfance est le pays des merveilles et la bonté d'une grand-mère affectueuse son trésor. Une grand-mère, c'est toujours à soi. Toujours présente. L'avenir la rapproche des petits, pour qui le temps aussi est un ami. Les grand-mères et les petits vivent au même rythme : ils ne remettent rien à demain. « Grande » est la grand-mère toujours d'accord, parce qu'elle sait que les enfants ont toujours raison. Elle est le refuge, le lieu sacré où Tom viendra se reposer quand la vie sera trop compliquée.

En 1917, Thomas tombe gravement malade. Il a contracté la diphtérie et reste immobilisé pendant plusieurs mois. Comme beaucoup d'écrivains, il découvre sa vocation au lit. Sa sœur lui raconte des histoires, le soir, assise à ses pieds. Le lendemain matin, Tom se souvient : il écrit.

*

Le couple

Ils sont inséparables. Ils se ressemblent. Ils aiment les mêmes choses, partagent les mêmes jeux et ont de l'imagination. Ils n'ont pas besoin des autres. Quand l'un d'eux tombe, l'autre est blessé. On les surnomme « le couple[1] ». Tom et Rose, frère et sœur, indissociables.

Dans la nouvelle, *La Ressemblance entre une boîte à violon et un cercueil*[2], datée d'octobre 1949 et dédiée à sa tante Isabel « Belle » Senier Williams, Tennessee Williams raconte les derniers jours de bonheur avec sa sœur. Il ne respecte pas la chronologie, puisqu'il situe le récit à Clarksdale («... la Sunflower River qui traversait la ville où nous habitions »), que sa famille avait quittée depuis cinq ans au moment des faits évoqués. En revanche, l'authenticité de l'épisode est confirmée par de nombreux détails. L'histoire raconte comment un matin, sans y comprendre rien, le petit Tom se retrouve seul au monde.

---

1. *The Couple* est le 13ᵉ poème du recueil *Androgyne, mon amour, op. cit.*
2. Publiée en février 1951, dans le magazine *Flair.*

Son double, sa sœur adorée, est devenue une étrangère. Elle se réveille de mauvaise humeur, elle a mal au ventre, elle est devenue une femme. Elle ne le regarde plus, lui qui est resté un enfant.

« Maintenant qu'elle m'avait abandonné, qu'elle m'avait retiré si mystérieusement et si volontairement son intimité enchanteresse, j'étais encore trop plein de ressentiment pour avouer secrètement, ne fût-ce qu'à moi-même, que j'avais perdu beaucoup par ce qu'elle m'avait repris. »

Rose est une débutante entourée, encouragée par sa mère et sa grand-mère. Thomas s'inquiète. Il la connaît mieux que personne, il sait les dangers qu'elle court, redoute les pièges qu'elle ne saura pas déjouer, les malices contre lesquelles elle ne saura pas se protéger. « Ma sœur avait été magiquement en harmonie avec les paysages sauvages de l'enfance, mais on ne pouvait pas savoir encore si elle s'adapterait au monde uniforme, et pourtant plus complexe, dans lequel pénètrent les jeunes filles. »

Rose est trop différente de ce qu'on attend d'elle et, surtout, elle est incapable de communiquer son originalité, de la revendiquer. Elle a trop de ce que Thomas a beaucoup. Tennessee Williams confiera cinquante ans plus tard à un journaliste :

« Je crois qu'une tendance à la folie, par opposition à la folie totale, prédispose au théâtre. »

Et, tandis que Rose s'enferme lentement dans un monde intérieur fragile comme des petits animaux en verre soufflé, Thomas se réfugie dans la poésie. Il avouera des années plus tard : « Je crée des mondes imaginaires dans lesquels je peux me retirer parce que je n'ai jamais pu m'adapter au monde réel. »

La rupture avec l'enfance est une mine de souffrances dont Tennessee Williams extraira des joyaux. C'est une consolation. (Est-ce une consolation ?) Il aura la force de partir. Il survivra à la séparation. Rose n'est pas une aventurière et si personne ne vient la chercher, elle s'enterre.

« Une année, au moment de Noël, alors qu'elle était en train de décorer le sapin, elle prit l'étoile de Bethléem qui devait aller au sommet de l'arbre et la regarda attentivement :

"Est-ce que les étoiles ont réellement cinq branches ? demanda-t-elle. [...]

— Mais non, lui dis-je très sérieusement, elles sont rondes comme la terre, et certaines plus grandes que la terre. [...]"

« Elle alla à la fenêtre pour regarder le ciel, qui était, comme toujours pendant l'hiver à Saint Louis, complètement obscurci par le brouillard.

"C'est facile à dire, dit-elle." Et elle revint vers le sapin [1]. »

En 1918, le retour du père et l'adieu au Sud précipitent le destin de Thomas et la malédiction de Rose.

*

---

1. *Portrait d'une jeune fille en verre.* 1943. *Toutes ses nouvelles.* Éditions Robert Laffont pour la traduction française, 1989.

Deuxième partie

Les années grises
(1918-1938)

Portrait de famille : Saint Louis, Missouri

Juillet 1918, le père Cornelius bénéficie d'une promotion au sein de la Compagnie internationale de la chaussure pour laquelle il était voyageur de commerce. Il est nommé à un poste sédentaire dans le Nord. Il exige de sa femme qu'elle quitte ses parents et lui promet une vie de famille traditionnelle. Miss Edwina, enceinte de son troisième enfant, Rose et Tom le suivent à Saint Louis, ville industrielle en pleine expansion économique. Ils auront plusieurs adresses : de Westminster à Arundel Place. Pendant ses quinze premières années, Tennessee Williams habitera dans plus de seize endroits différents, déménagements qui contribueront probablement à sa future instabilité géographique.

En septembre, Tom entre à l'école élémentaire Eugene-Field. On se moque de son accent du Sud. De santé fragile, il est dispensé de sport, ce qui n'améliore pas ses relations avec les autres élèves qui s'empressent de le surnommer « Sissy » (petite sœur), sobriquet que les Américains donnent aux garçons efféminés. Il est timide, solitaire et passe ses journées à lire et à écrire. Cornelius n'apprécie pas la personnalité délicate de son fils et ajoute aux railleries des enfants le surnom humiliant de « Miss Nancy ».

Thomas est un tout petit bonhomme tendre qui préfère la compagnie des filles à celle des garçons. Il est serviable, doux et attentionné. Il confectionne des bouquets de fleurs pour sa mère et sa sœur, aide à la maison dans les tâches ménagères et redoute la virilité brutale de son père.

Le 21 février 1919, Miss Edwina donne naissance à son troisième enfant : Walter Dakin. « Grande » accourt aussitôt de Clarksdale pour l'aider.

« Son arrivée signifiait pour nous [...] que s'apaisait la colère de mon père à l'égard du monde et de la vie, colère que lui, malheureux qu'il était, ne pouvait s'empêcher de passer sur ses enfants [1]. »

Cornelius est violent. Sa femme l'accuse, l'humilie, ne l'écoute pas, ne le comprend pas, et il craque, souvent.

« La vie à la maison était terrible, se souviendra Dakin. Une fois, mère courut jusqu'à sa chambre et s'y enferma. Père défonça la porte et lui cassa le nez [...]. Les choses étaient bien pires pour Rose et Tom que pour moi. J'étais le préféré de papa, il m'emmenait avec lui et les ignorait. En plus, j'ai été élevé à Saint Louis, dans cet environnement malheureux, dès le départ [2]. »

C'est un profond changement pour Rose et Tom

---

1. *Grande*, 1964. *Toutes ses nouvelles. op. cit.*
2. Dakin Williams and S. Mead, *Tennessee Williams ; an Intimate Biography.* Arbor House, New York, 1983.

que ce passage de la douceur langoureuse du Mississippi aux fumées grises de Saint Louis et c'est la
première fois depuis dix ans qu'Edwina et Cornelius
vivent sous le même toit. Miss Edwina a perdu
l'habitude d'être une épouse et Cornelius n'a pas pris
celle d'être un père. Ils se déchirent, séparant le foyer
en deux clans : d'un côté, le piano, la poésie et les
bonnes manières ; de l'autre, le poker, l'alcool et la
virilité.

Cornelius est un homme immature et sauvage. Miss
Edwina est une jeune femme qui a « raté » son
mariage, donc sa vie. Pour elle, une seule alternative
est possible pour une jeune fille de bonne famille :
faire un « bon » ou un « mauvais » mariage. Elle n'a pas
eu cette chance qu'elle souhaite pour sa fille. Elle fera
tout, *tout* pour faire de Rose « l'épouse idéale ».

Aux petits appartements sinistres, aux crises
d'éthylisme du père, aux difficultés financières (Cornelius perd beaucoup d'argent au poker) s'ajoutent, à
partir de 1921, une série d'accidents de santé pour
Miss Edwina. Elle fait d'abord une fausse couche,
puis, d'année en année, tombe malade et se fait
hospitaliser plusieurs fois, au grand désespoir de Rose
qui se retrouve à la merci d'un père qui la terrifie. Un
soir, Cornelius Coffin, dit C.C., rentre chez lui un
bout d'oreille en moins. Un mauvais perdant le lui a
arraché au cours d'une partie de cartes trop arrosée...

Et tandis que ses parents se déchirent et que sa
sœur s'affaiblit, Thomas écrit : « Je ne pense pas que
je serais devenu le poète que je suis sans cette
angoissante situation familiale. Je n'ai encore jamais
rencontré un écrivain de conséquence qui n'ait pas eu

un contexte familial difficile », confiera-t-il à un journaliste.

En 1922, Tom rencontre le grand amour hétérosexuel de son adolescence en la personne grassouillette d'Hazel Kramer. Leur amour est platonique, mais suffisamment intense et exclusif pour déplaire. Les parents de Thomas font tout pour les séparer. Miss Edwina parce qu'elle considère qu'Hazel n'est pas assez bien pour son fils, Cornelius parce qu'il ne veut pas que Tom aliène prématurément sa vie en faveur d'une femme. Leur amitié durera onze ans. Hazel épousera un certain Terence McCabe en février 1935 et se suicidera quelques années plus tard.

Tennessee la retrouvera en 1951 dans une nouvelle, *Les Jeux de l'été* (*Three Players of a Summer Game*), qui deviendra, en 1955, *La Chatte sur un toit brûlant*. Elle se nomme Marie-Louise Grey, a la peau tendre et lui apprend à soigner les piqûres de moustiques.

À treize ans, Thomas publie ses premiers poèmes dans le journal de l'école. Il va au cinéma et à la piscine. En avril 1927, il remporte un troisième prix de cinq dollars pour un article répondant à la question : « Une bonne épouse peut-elle être une chic fille ? », publiée dans le magazine *Smart Set*. La même année, il gagne dix dollars offerts par le Loew's State Theater de Saint Louis pour la meilleure critique du film *Stella Dallas*.

1928 est une date importante. En juin, Thomas publie sa première nouvelle (*La Vengeance de Nitocris*) dans le magazine *Weird Tales* et, en juillet, son grand-père lui propose de l'accompagner dans un voyage en Europe qu'il a organisé pour ses paroissiens. La traversée de l'Atlantique sur le paquebot *Homeric* et la visite des grandes villes européennes enchantent Tom. Il racontera dans ses *Mémoires*[1] comment, alors qu'il se promène dans Paris, il découvre le « processus de la pensée », puis, à Cologne, l'épisode du miracle.

« Ma phobie de l'acte de penser atteignit son point culminant lorsque je pénétrai dans la cathédrale. [...] C'était comme si une main immatérielle s'était placée sur ma tête, et à l'instant même de ce contact, ma phobie qui avait pesé sur moi comme une charge de plomb, devint légère comme un flocon de neige. »

De retour à Saint Louis, il publie, dans le journal de l'école, des articles sur son voyage.

En septembre 1929, Thomas entre à l'université du Missouri, Columbia. C'est un élève moyen et effacé. On l'aime bien parce qu'il est doux et plein d'humour. On l'évite parce qu'il est timide et original. Il écrit une pièce, *Beauty Is The World* (inédite), récompensée par une « mention honorable » lors d'un concours d'art dramatique, et fréquente une jeune fille, Esmeralda Mayes, qui deviendra Flora dans la nouvelle *La Chose importante*, écrite en 1945. Une autre nouvelle, *Le Champ des enfants bleus*, écrite en 1937, évoque elle aussi les années d'université, époque des fraternités d'étudiants, des cercles de poésie et des amitiés passionnées.

---

1. *Mémoires, op. cit.*

Le Champ des enfants bleus (The Field of Blue Children), premier texte publié sous le nom de Tennessee Williams en 1939 dans *Story Magazine*, raconte l'histoire de deux étudiants : Myra, qui suit la voie toute tracée de la sécurité et Homer qui a choisi le chemin incertain de la liberté. Ils font partie du cercle de poésie. Myra est fiancée au plus beau garçon de l'université. Homer est timide et solitaire. Il est amoureux de Myra mais n'ose pas lui parler. Intriguée, elle fait le premier pas. Il lui donne à lire les poèmes qu'il compose, il veut être écrivain. Elle aussi, à l'occasion, griffonne quelques lignes dans son journal. Une nuit, ils font l'amour au milieu d'un champ de petites fleurs bleues. Ils ne se reverront jamais. Myra épouse le plus beau garçon de l'université et cesse de s'intéresser à la poésie. Homer disparaît. Quelques années plus tard, un soir mélancolique, Myra retrouve le champ :

« Elle avança rapidement parmi les fleurs, puis soudain, tomba à genoux, secouée par les sanglots. Elle pleura longtemps, pendant près d'une heure, puis elle se redressa, brossa soigneusement sa jupe et ses bas. [...] Elle savait que jamais elle ne referait une chose si ridicule... [1] »

La Chose importante (The Important Thing) est une merveille, l'une des plus belles nouvelles de Tennessee Williams.

Le soir d'un bal de printemps, dans un collège baptiste de jeunes filles, Flora et John sont poussés dans les bras l'un de l'autre par leur professeur. Les deux jeunes gens préfèrent discuter de religion ou de littérature plutôt que de danser ou sortir avec les

---

1. *Toutes ses nouvelles, op. cit.*

autres étudiants. Ils cherchent avec passion un sens à leur existence :

« Qu'est-ce que c'est, la chose importante ?

— Je ne sais pas encore, dit Flora. Et c'est pour cela que je suis en vie, pour découvrir ce qu'est la chose importante. »

La nouvelle se termine sur cet enseignement : « Ils n'essayaient plus de s'aider, mais seulement de se comprendre. Ils se savaient absolument séparés, absolument seuls l'un et l'autre. Mais ils n'étaient plus des étrangers [1]. »

En 1931, Thomas échoue au ROTC (Reserve Officiers Training Corps). Il n'a pas d'excellentes notes et manque d'assiduité. Son père le retire de l'université pour le faire travailler avec lui à la fabrique de chaussures pendant l'été. En septembre, Tom retourne en cours et découvre le théâtre d'Ibsen et de Strindberg.

Dans l'œuvre d'Henrik Ibsen (1828-1906), on trouve un élément dramatique que Tennessee Williams développera dans ses pièces : un mécanisme implacable et douloureux qui révèle aux êtres les plus fragiles une vérité profonde en faisant apparaître ce qu'ils avaient jusque-là refoulé. Quant au Suédois August Strindberg (1849-1912), il partage avec Tennessee le même intérêt pour les esprits malades et la

---

1. *Ibidem.*

même fascination pour les femmes castratrices. Lorsque, à la fin de l'acte III de *Père*, de Strindberg, le Capitaine est attaché par les femmes de la maison, sa vieille nourrice Margret et sa femme Laura, comment ne pas penser au révérend Shannon ficelé sur un hamac par Maxine Faulk, qui se comporte avec lui un peu comme une mère, un peu comme une femme, beaucoup comme une mante religieuse, dans l'acte III de *La Nuit de l'iguane*.

Les années 1932 et 1933 sont difficiles : Cornelius est de plus en plus violent, Miss Edwina devient hystérique et Rose névrosée.

En 1933, Thomas gagne le premier prix d'un concours d'écriture organisé par la ville de Saint Louis, pour une nouvelle, *Stella for Star* (inédite).

Le 24 juin 1934, il quitte pour la seconde fois l'université et retourne à la fabrique de chaussures. Il y restera jusqu'au 30 avril 1935, soit dix mois et non pas trois ans, comme il le prétendra plus tard. Cette période de sa vie reste son plus mauvais souvenir. Obligé de voir son père tous les jours, notamment pendant le trajet en voiture vers l'entrepôt, il ne parvient pas à communiquer avec lui et découvre le cauchemar des silences de plomb qui prennent toute la place et empoisonnent l'atmosphère.

Les rapports de Thomas avec son père sont pratiquement inexistants pendant ses toutes premières années et difficiles par la suite. « Je l'ai haï, mais ce n'est plus le cas aujourd'hui », dira-t-il après la mort de Cornelius, en 1957. Trois ans plus tard, dans *Le Vieil Homme dans son fauteuil* (The Man in The

Overstuffed Chair), il lui rend un hommage respectueux :

« ... Cornelius Coffin Williams, héraut de la Compagnie internationale de la chaussure pour le Mississippi, qui fut arraché à la route sauvage et libre et placé derrière un bureau comme on enferme un animal de la jungle derrière les barreaux d'une cage. (...) Et si torturée qu'ait été sa vie entière, je me demande si dans son sang, en fin de compte, ne coulait pas plus d'amour que de haine [1]. »

Thomas a aimé son père avec tout le désespoir des amours qui ne se rencontrent pas. Cornelius a aimé son fils avec toute l'impuissance des amours qui ne se comprennent pas. Leur difficulté de communication inspirera à Tennessee les rapports entre Brick Pollitt et Big Daddy, dans *La Chatte sur un toit brûlant.*

Tennessee Williams comprendra plus tard qu'il ressemblait à son père, à sa manière. C'est Amanda qui l'admet la première dans *La Ménagerie de verre* : « De plus en plus tu me rappelles ton père ! Toujours dehors, sans jamais donner d'explication. Et puis un jour, pfftt ! parti, adieu. Et moi je reste en plan avec tout sur le dos. »

Thomas aimait ses parents. Il a simplement renoncé à leur succéder. Il a refusé de s'inscrire dans la lignée de ce qu'il ressentait comme une agression : la mort de l'enchantement, la reproduction obligatoire, la vie sécurisante de ceux qui n'ont retenu de l'école que deux enseignements : compter et copier.

*

---

1. *Ibidem.*

« Elle était la meilleure d'entre nous,

comprenez-vous ? »

En 1935, Thomas travaille le jour à la Compagnie internationale de la chaussure et écrit la nuit dans la cuisine de sa mère. Il fume beaucoup, boit des litres de café noir et ne se nourrit presque pas. À l'entrepôt, il fait la connaissance de son contraire, Stanley Kowalski : grand, baraqué et simplet. Stanley meurt à la fin des années 40. Que reste-t-il de lui dans le personnage du même nom incarné par Marlon Brando dans *Un tramway nommé Désir* ?

Au printemps, affaibli et dépressif, Thomas tombe malade pour la seconde fois. Il part se refaire une santé chez ses grands-parents maternels qui viennent de s'installer à Memphis. Il se fait dorloter par « Grande », abandonne sa mère et sa sœur à son père.

À vingt-quatre ans, Tom sait qu'il sera écrivain. Il a découvert le théâtre, continue à écrire des poèmes, s'essaie à l'art de la nouvelle. Il a déjà écrit trois pièces en un acte : *Moony's Kid don't Cry*, qui sera publiée en 1948 dans le recueil de pièces courtes *American Blues, Cairo ! Shanghai ! Bombay !* (inédite) en collaboration avec Dorothy Shapiro, montée le 12 juillet 1935 au Rose Arbor Playhouse de Memphis, sous la direction d'Arthur B. Scharff, et *Candles to The Sun* (inédite), qui sera jouée deux ans plus tard, les 18 et 20 mars 1937, au Wednesday Club Auditorium de Saint Louis, sous la direction de Willard H. Holland. Il est également l'auteur de plusieurs nouvelles : *Un sac de dame en perles, Dans Tolstoï, je pense, Une idylle dans le Mississippi, J'entends le bruit de ses pas* et *Vingt-Sept Camions pleins de coton.*

Tandis que Thomas explore son talent, Rose développe phobies et obsessions. Son père ne s'en préoccupe guère et sa mère reste persuadée que tout finira par s'arranger dès que sa fille sera mariée. Elle inscrit Rose, en vain, à un cours de dactylographie et la présente, en vain, à des jeunes hommes aussi timides qu'elle. Mais Rose préfère rester dans sa chambre pour astiquer sa collection de petits animaux en verre. Sa mère est pathétique, elle insiste et panique :

« À quoi allons-nous passer le reste de notre existence, désormais ? Veux-tu me dire ? À regarder par la fenêtre passer les défilés ? À faire joujou avec la ménagerie de verre ? N'est-ce pas mon ange ? [...] J'en ai vu des exemples tellement pitoyables chez nous, dans le Sud ! De vieilles filles vivant chichement à la charge du mari de la sœur ou de la femme du frère, tolérées à contrecœur, essuyant toutes les vexations et les rebuffades réservées aux parents pauvres[1]. »

---

1. Amanda Wingfield, dans *La Ménagerie de verre*, 1945. Robert Laffont.

Un sac de dame en perles (A Lady's Beaded Bag) raconte l'histoire d'un petit homme « accablé par un sentiment presque névrotique d'humilité et de honte » qui fait les poubelles des riches. Il a l'espoir de découvrir, un jour, un trésor qui changerait sa vie. Un soir, il trouve un sac de dame en perles rempli d'argent. Mais il a peur et rapporte l'objet à sa propriétaire, une dame riche, qui paie négligemment avec le contenu du sac un manteau de soirée très cher qu'elle ne portera jamais.

Dans Tolstoï, je pense (Something by Tolstoï), le narrateur, un employé de librairie, est témoin d'un drame passionnel. Jacob Brodsky, le fils du libraire, « jeune juif russe, intellectuel et contemplatif », est amoureux d'une goy, Lila. Il l'épouse à la mort de son père. Mais Lila s'ennuie et elle est ambitieuse. Elle quitte Jacob et part pour l'Europe avec une troupe de music-hall. Le jour de leur séparation, il lui donne la clef de la librairie, pour le cas où elle changerait d'avis. Puis il s'effondre :

« Il se mit à lire, de la même façon qu'un autre se serait mis à boire et à se droguer. »

Quinze ans plus tard, Mrs Brodsky réapparaît dans une élégante voiture. La librairie est fermée. Elle a gardé la clef et entre. Il est au fond du magasin, en train de lire. Lorsqu'elle s'approche, il sursaute :

« Vous cherchez un livre ? » demande-t-il.

Elle répond qu'elle ne se souvient plus du titre, juste de l'histoire. Et elle lui raconte la leur.

« Tu t'en souviens, dit-elle. Tu dois t'en souvenir ? L'histoire de Lila et Jacob ? »

Après un long silence, il répond simplement :

« Il y a quelque chose dans cette histoire qui me

semble familier. Je crois que j'ai lu ça quelque part. Dans Tolstoï, je pense. »

Une idylle dans le Mississippi (Big Black : a Mississippi Idyll) raconte l'histoire de Big Black, « bête noire dans sa grotesque forme humaine. [...] le plus fort et le plus laid des nègres qui aient jamais travaillé pour un homme blanc ». Il a le cri « de cette exténuante terre du Sud, primitive, épique, tels un défi ou une prière lancée à la Vie ».

J'entends le bruit de ses pas (The Accent of a Coming Foot). Catharine est partie à la ville travailler. Elle rend visite à ses amis d'enfance restés à la campagne dans une maison laide « comme un décor pour une pièce d'Ibsen ». Elle attend avec impatience de revoir Bud, le fils de la famille, poète, paresseux et sauvage. Assise dans le salon de ses hôtes, crispée et mal à l'aise, elle écoute tous les bruits pouvant lui annoncer l'arrivée du jeune homme : « Elle connut ce supplice qu'il avait connu déjà : entendre le bruit d'un pas familier qui se rapproche, une porte qui s'ouvre brusquement... »

Vingt-Sept Camions pleins de coton (Twenty-Seven Wagons Full of Cotton), une nouvelle qui ressemble comme deux balles de coton à la pièce en un acte du même nom, à l'origine du scénario de *Baby Doll*, que Tennessee écrira en 1956. En 1935 la « poupée de chair » n'est pas une jeune et jolie femme-enfant, c'est une grosse et suante Mrs Meighan, un peu masochiste et très bête, laissée en pâture au régisseur de la plantation voisine pendant que son mari égrène vingt-sept camions pleins de coton.

Les années grises

En septembre 1935, Thomas revient à Saint Louis. Ses parents emménagent dans une maison confortable près de l'université Washington où Tom reprend des cours de journalisme. Il découvre Tchekhov, Rainer Maria Rilke et surtout son maître, son idole : le poète américain Hart Crane[1].

En octobre 1936, le Webster Groves Theater Guild présente une pièce en un acte de Thomas Lanier Williams, *The Magic Tower* (inédite), dans une mise en scène de David Gibson. Tom reçoit un prix et rentre chez lui avec une assiette en argent. En novembre, The Mummers, une compagnie de théâtre amateur de Saint Louis à qui Tennessee rendra hommage dans un article intitulé « Something Wild » et publié, en 1945, dans le *New York Star*, présente un sketch *Headlines* (inédit) en lever de rideau avant une pièce d'Irwin Shaw. La même année, Thomas gagne un premier prix de poésie sponsorisé par le Wednesday Club de Saint Louis.

La vie reprend quelques couleurs, mais une ombre persiste, inquiétante et fatale : la santé mentale de Rose. Un épisode apparemment anodin va sectionner les fils ténus qui relient encore faiblement la jeune fille à la réalité. Tom profite d'une absence de ses parents pour inviter des amis. Ils boivent de la bière, se soûlent, s'amusent. Rose, que les crises de son père sous l'emprise de l'alcool ont traumatisée, menace de

---

1. Hart Crane (1899-1932), peu connu en France, est un poète symboliste, irrationnel et extrêmement sensible. La poésie et l'alcool l'ont maintenu en vie pendant trente-trois ans. Il se jeta d'un bateau dans la nuit du 27 au 28 avril 1932.

tout répéter à sa mère. Scène classique entre une sœur et un frère. Thomas, ivre et énervé, lui lance un « J'veux plus jamais voir ta sale vieille gueule ! » qu'il regrette aussitôt. Mais le mal est fait. Rose monte en courant l'escalier et s'enferme dans sa chambre. Elle n'entend plus les excuses de son frère, refuse sa main et son baiser. L'être en qui elle a le plus confiance, fragile et romantique, la douceur même, celui-là comme les autres lui fait violence. Elle sombre dans la démence, se met à employer des mots grossiers, accuse son père d'avoir tenté sur elle des attouchements obscènes. Elle est obsédée par la sexualité, empoisonnée par une virginité brûlante. Rose a vingt-sept ans et vit sous l'autorité de sa mère, dans une petit pavillon de banlieue. Cloîtrée dans une société imaginaire, recréée par Edwina à l'image de sa jeunesse passée au presbytère de son père, un univers carcéral qui ne laisse pénétrer aucun corps étranger.

Rose implose, son désespoir dérange. Sa mère la conduit de médecin en médecin avec un seul objectif : lui imposer le silence[1]. Elle ne veut pas entendre ce que sa fille pourrait lui dire. Elle veut simplement qu'elle se taise et redevienne la jolie petite Rose à marier à un riche héritier. Un planteur, de préférence. Un Anglo-Saxon, protestant et bien né. Au pire, un Irlandais, même s'il est catholique, à condition qu'il ait « la tête sur les épaules ». Edwina se lamente et

---

1. Les propos exacts de Rose sont assez imprécis. Que racontait-elle exactement ? Que son père avait tenté de la violer, que son ventre la brûlait, qu'elle était frappée de la « malédiction qui afflige d'habitude une personne de sexe féminin ». *Une vie achevée* (1973), in *Toutes ses nouvelles, op. cit.*

supplie : « *Faites n'importe quoi ! Ne la laissez pas parler comme ça !* »

Ils vont faire n'importe quoi. En 1937, Rose Isabel Williams, vingt-huit ans, est hospitalisée pour une opération terrible appelée lobotomie préfrontale[1]. Comme elle est l'une des premières à s'y soumettre, l'intervention est gratuite, ce qui achève de décider Miss Edwina qui donne sa bénédiction aux chirurgiens.

Rose s'inscrit dans l'histoire de la psychiatrie américaine comme l'une des rares victimes de cette abjecte « expérience ».

Et Thomas n'est pas là. Après avoir échoué avec *Me Vashya* ! (inédite) dans un concours de pièces de l'université Washington, il a séché les cours et s'est fait renvoyer. Il vient de quitter l'État pour entrer à l'université de l'Iowa. C'est à l'automne de 1937, à son retour en faculté, qu'il connaîtra sa première et dernière expérience hétérosexuelle avec une jeune fille fougueuse.

Il écrit : *The Fugitive Kind* (inédite, qui n'a rien à voir avec le film du même nom), une pièce en deux actes, *Spring Storm* (inédite), *Not about Nightingales* (inédite) et trois nouvelles : *Sable, Dix Minutes d'arrêt, Je te donne une pomme.*

Tennessee Williams se sentira coupable toute sa vie d'avoir été absent pendant que sa sœur plongeait dans l'horreur, poussée par une mère trop préoccupée de morale et de décence pour supporter les errances de sa fille.

---

1. Opération neurochirurgicale consistant à sectionner des fibres nerveuses à l'intérieur du cerveau.

« Elle était la meilleure d'entre nous »

Sable (Sand) raconte l'histoire d'un couple de vieux, Rose et Émiel, qui auraient aussi bien pu se nommer Rose et Dakin, prénoms de ses grands-parents. Ils ne se parlent plus : « Maintenant, le silence c'est l'attente, et l'attente est une terreur continuelle. »

Dix minutes d'arrêt (Ten Minutes Stop) : Luke voyage en car, de nuit, de Chicago à Memphis. Pendant un arrêt à Champaing (Illinois), il descend du car et observe un groupe d'étudiants inconnus dans une ville inconnue : « Il se sentait à l'écart du flot ordinaire de la vie, et il avait le pouvoir de se regarder lui-même avec un calme détachement. » *Je te donne une pomme* (Gift of an Apple) est l'histoire d'un jeune auto-stoppeur affamé, prêt à coucher avec une grosse femme moche pour avoir quelque chose à manger.

« Elle [Miss Edwina] a donné sa permission pour l'opération, alors que j'étais loin. Je pense qu'elle était surtout effrayée par les fantaisies sexuelles de Rose, mais c'est tout ce qu'elles étaient, des fantaisies [...]. Ma sœur était une personne pleine de vitalité. Elle aurait pu aller beaucoup mieux s'ils n'avaient pas pratiqué cette maudite opération[1]... »

Dans *Remember Me to Tom*, publié en 1963 à New York, Edwina prétend que c'est son mari qui donna l'accord définitif aux chirurgiens...

Désormais Rose aura vingt-huit ans, Thomas

---

1. *The Kindness of Strangers, op. cit.*

vingt-six, et elle redoutera les colères de « cet homme, Cornelius Williams ».

Tom ne s'en remettra jamais. Cet événement bouleversant symbolisera l'injustice, la bêtise, la cruauté d'un monde dont il se sent plus que jamais exclu, par solidarité avec sa sœur injustement condamnée à la réclusion à perpétuité.

« Elle était la meilleure d'entre nous, comprenez-vous ? [...] Plus belle, plus intelligente, douce et chaleureuse que personne. Pas un seul d'entre nous n'était assez bien pour se baisser et lui lacer ses chaussures [1]. »

Comme si elle avait payé pour tous les égarements, les déceptions, les erreurs, les échecs de la société dans laquelle elle était née. La longue série d'échecs des parents et des grands-parents qui coulent dans le sang des enfants. Toute une famille comme un seul être. Un être sacrifié.

En juillet 1943, dans une lettre à son ami Donald Windham, Tennessee écrira :

« Nous devons tristement affronter le fait que nous sommes tous issus d'un arrangement plus ou moins satisfaisant. Que nos parents, et leurs parents avant eux, ont impudiquement couché ensemble et ont fait tout et n'importe quoi au nom de la descendance. Sans tenir compte des bons ou des mauvais mélanges, sans tenir compte des dangereux éléments. [...] Non, le monde n'a pas encore commencé, et il ne commencera pas tant que les fous qui nous gouvernent

---

1. *Ibid.*

n'auront pas compris que toute réforme commence dans la procréation. »

Dans son second roman, *Moïse et le monde de la raison* qu'il écrira en 1975, Tennessee insiste sur ce sentiment d'appartenir à une race en pleine dégénérescence. Quand il écrit : « Je descends d'une lignée de dames évanescentes », c'est plus sous le coup d'une sensation profonde de faiblesse que poussé par une provocation gratuite. Il se sent victime d'une hérédité maladive qui l'épuise et le fascine. Et comme si le destin s'était amusé à lui donner raison, la famille Lanier Williams disparaîtra totalement avant la fin du siècle. Rose, enfermée dans un hôpital psychiatrique, célibataire, sans enfant. Thomas, auteur dramatique, homosexuel, célibataire, sans enfant. Dakin, homme politique raté, avocat médiocre, marié avec une femme frigide et stérile.

Seule restera l'œuvre littéraire et poétique, comme le dernier souffle, la dernière plainte d'une société fatiguée appelée à disparaître. Et pourtant il fallait continuer, boire la coupe jusqu'à la lie. Tennessee le savait, il n'était pas sûr de comprendre pourquoi, mais il le savait. Quand une histoire s'arrête, il faut savoir la terminer.

En 1957, Tennessee Williams a quarante-six ans. Il est riche et célèbre. Comme chaque semaine, il va rendre visite à sa sœur, à Ossining, dans l'État de New York, où elle est enfermée. Rose lui donne un billet de dix dollars en lui disant :

« Tom, je sais combien tu travailles dur à la fabrique de chaussures. Je sais que tu veux devenir poète et je crois en toi. J'ai économisé un peu d'argent pour toi et j'espère que ça aidera les choses à être un peu plus faciles. Il te suffit d'être patient, je sais que de bonnes choses sont devant toi. Souviens-toi toujours que je crois en toi [1]. »

1937. La vie s'est arrêtée pour la jolie petite Rose qui ne s'épanouira jamais. Les pétales de son avenir confisqué resteront repliés dans son cœur, personne n'en connaîtra la couleur. Quant à Thomas, les ailes qui lui poussent dans le dos, la nuit, quand il écrit, l'emporteront bientôt. Mais où qu'il aille, aussi haut qu'il s'envole, beaucoup plus loin que la lune, sa sœur est toujours là. Tous ses personnages emprunteront à Rose Isabel ses peurs et ses douleurs. Elle s'est éteinte prématurément, il brillera pour deux. Comme s'il avait écrit sans cesse et sans répit un rôle qu'elle ne jouerait jamais.

« De temps en temps, le plus souvent en arrivant dans une ville nouvelle avant d'y avoir trouvé des compagnons, je sens s'amollir ma carapace de dureté. Une porte s'ouvre doucement et je n'y peux rien. [...] Je retiens mon souffle et tout à coup [...] m'apparaît le visage de ma sœur − et elle habite ma nuit [2]. »

Thomas a la volonté d'écrire, le courage de partir. Un grand courage, lorsque l'on sait la peur que lui inspire l'avenir. Il a conscience de risquer gros : sa peau, un peu plus chaque jour. Il craint de ne pas pouvoir continuer, de ne pas être capable. Comme un petit moineau au ventre tendre qui défie le gros chat du quartier, il pense : je suis tout petit, je n'y parviendrai

---

1. « The life of Tennessee Williams, *in The Kindness of Strangers, op. cit.*
2. *Portrait d'une jeune fille en verre* (1943), *in. Toutes ses nouvelles, op. cit.*

jamais. Mais le petit moineau aperçoit un moineau encore plus petit que lui, et sa tête se relève. Il se bat. Chaque coup est un coup double. Il triomphe et s'en va de quartier en quartier affronter d'autres chats. Il s'envole très haut, il quitte son jardin. Le petit moineau s'épuise mais ne renonce pas. Il survole toutes les mers, affronte tous les chats de la terre.

Un jour, fatigué, il revient dans son quartier. Il cherche le moineau plus petit que lui qui n'est plus dans le jardin. Il le retrouve dans une cage, sur le bord d'une fenêtre. Quand il lui demande depuis quand il est enfermé, l'autre répond :

« Ils m'ont pris le jour où tu es parti triompher de tous les chats de la terre.

— Veux-tu que je te libère ?

— Non, merci. Je n'ai plus l'habitude de la liberté. J'aurais trop peur.

— Souffres-tu beaucoup dans cette cage ?

— Je ne sais pas. Peut-être, peut-être pas. Et toi ? Es-tu heureux d'avoir triomphé de tous les chats de la terre ? »

Le moineau vainqueur cherche longtemps la réponse à cette question. Il revient tous les jours, tournoie autour de la cage, mais ne répond pas.

Une nuit, il se pose devant la porte grillagée du moineau enfermé. Ils se regardent tristement, sans rien dire. Et l'oiseau qui n'est pas dans la cage glisse. Il tombe dans le vide sans résistance, incapable d'allonger ses ailes dans le vent.

La réponse qu'il porte est trop lourde pour lui.

*

Troisième partie

L'oiseau s'envole
(1939-1944)

The Big Easy[1]

L'International Shoe Company est un ensemble
d'immeubles en brique rouge à deux miles au sud de
Saint Louis, sur la route de Memphis. Route 55
interstate South, extrêmement plate et parfaitement
droite. Le Greyhound[2] fait des pointes de 80 km/h et
roule en moyenne à 60. Il s'arrête dix minutes toutes
les vingt minutes. Un Blanc obèse, assis au premier
rang, mange une barre de caramel et cacahouètes
mélangés en buvant un soda au raisin. Il discute avec
le chauffeur et ponctue chacune de ses phrases d'un
petit rire grotesque et inexpressif. Les autres passa-
gers sont noirs, plus ou moins. Sur le bord de la
route, un panneau publicitaire appelle à la légitime
défense organisée. Des affiches, reproduisant les
photos de centaines d'enfants disparus, recouvrent
les murs des stations d'autobus. L'obèse s'endort
dans sa graisse tremblotante sous sa chemise tachée

---

1. Surnom donné à La Nouvelle-Orléans.
2. Compagnie de bus américaine.

de sucre et de sueur. Il est encore plus gros quand il dort.

De petites maisons en bois longent la route, fraîchement repeintes ou franchement délabrées. Elles ont des vérandas sous lesquelles des fauteuils se basculent avec parfois, dedans, un vieux qui se repose. Un pont suspendu traverse le Mississippi, de l'Arkansas au Tennessee.

L'État du Tennessee a été le seizième à entrer dans l'Union. L'oiseau le plus répandu est le moqueur (merle) qui imite le chant des autres oiseaux. La coccinelle, bête à bon Dieu, est la demoiselle des champs. L'iris violet est la fleur officielle et le raton laveur fait de la concurrence aux pêcheurs. L'État du Tennessee est le pays de Davy Crockett et d'Elvis Presley. Tennessee Williams aurait préféré s'appeler Mississippi Williams mais il s'est méfié de la manie des Américains pour les diminutifs... Il prétendra aussi qu'il a choisi ce pseudonyme en hommage à sa famille paternelle qui combattit les Indiens dans le Tennessee.

Pendant la guerre de Sécession, l'État du Tennessee fut le dernier à quitter l'Union et le premier à l'y rejoindre. L'est du Tennessee était plus nordiste que sudiste.

Memphis. Ce n'est pas loin d'ici que Bessie Smith eut un accident de voiture. C'est ici qu'elle s'est vidée de son sang devant les portes fermées d'un hôpital réservé aux Blancs. Le blues est né sur une terre mouillée de sang, de larmes et de verres renversés.

À Memphis, j'évite Graceland et m'attarde au Sun

Studio[1]. Il n'y a pas grand-chose à voir, simplement l'air à respirer. Toute la nuit, j'écoute du blues en buvant du bourbon dans les clubs de Beale Street. King Daddy, accoudé au comptoir, me dit que le maire de la ville est pour la première fois un Noir. Je lève mon verre, il le remplit. King Daddy a soixante ans. Il est tout noir et tout rond. Sa voix est grave et ses yeux sont brillants. Il m'apprend à gratter les allumettes d'une seule main. Il connaît John Lee Hoocker, joue de l'harmonica et veut que je revienne, un jour, écouter son histoire :

« There is a story in me, girl ! You've got to write a book about it ! »

C'est difficile à imaginer, Mississippi Valley. Il y a tant à lire dans les yeux que les lèvres se taisent. Chacun semble cacher un secret, une honte. Dans les petits villages, sur les bords de la route 55 Sud qui descend vers la Nouvelle-Orléans, la misère est grande et la ségrégation raciale tenace. À Jackson dans l'État du Mississippi, le Ku Klux Klan se promène à visage découvert.

Une vieille femme regarde passer les voitures, assise sur un canapé humide, sous le porche d'une maison qu'elle ne gardera pas longtemps. Un petit garçon à la peau très sombre joue avec un ballon déchiré sur le bord de la route. Il me fait une passe. Je lui renvoie la balle. Le chauffeur du Greyhound m'appelle, les dix minutes d'arrêt sont terminées. Un Blanc m'apostrophe méchamment en riant : « You

---

1. Graceland est la maison d'Elvis Presley transformée en musée. C'est au Sun Studio qu'ont été enregistrés les premiers disques de blues ainsi que des standards du rock'n'roll, comme *Blue Suede Shoes*.

like black people you girl ! » Il me méprise autant que je l'ignore. Et je répète dans ma tête, comme une prière :

UN SEUL PEUPLE, UNE SEULE POPULATION.

Au plus profond du Sud et des marais, on entend la rengaine d'un mauvais roman : la pluie. Des gouttes d'eau font la course sur le pare-brise de l'autobus. Je prend les paris. C'est la grosse goutte du milieu qui gagne. Les autres sont restées bloquées à une intersection dans un cercle de buée. La route traverse des marécages, un peu comme les Everglades de Floride, mais moins jaunes, plus verts, moins nettoyés, plus sauvages. La Louisiane est une immense flaque.

Embouteillages sur le plus grand pont du monde (24 miles), qui traverse le lac Pontchartrain. La nuit s'étale, la pluie ne cesse de tomber, diluvienne. J'ai perdu mes bagages et dépensé tous mes dollars.

Attention, vaudou ! La Louisiane est un pays de magie noire. Des petites poupées transpercées d'épingles sont cachées derrière les comptoirs des bars. Ici les faits n'existent pas. On ne témoigne pas d'un événement, on raconte une histoire.

À la Nouvelle-Orléans, la musique ne s'interrompt jamais, l'alcool coule à flots et la diversité des habitants ferait pâlir les New-Yorkais. C'est Big Easy contre Big Apple. Le Vieux Carré (quartier fondé par les Français au début du XVIIIe siècle) est, en fait, beaucoup plus espagnol que français : balcons en fer

forgé, patios, décorations kitsch et céramique peinte [1].
Imaginez l'Espagne avec une touche d'élégance française, un héritage musical noir qui vient du plus
profond de l'âme, un climat tropical et une végétation
luxuriante. De l'eau partout : la mer et les bayous. Le
Mexique en face. Les États-Unis tout autour. Ici, on
vit dehors, les portes ne ferment pas et la voiture a
perdu son royaume. Tous les coins de rue sont
occupés par un musicien, un chanteur ou un danseur.
Amateur ou professionnel, souvent ivre, jamais
mauvais. On s'attarde pour l'écouter. La vie passe
lentement. Plus de plans, plus de cartes, plus de
chemin à trouver. Il y a toujours une trompette ou une
guitare pour vous emmener quelque part.

Lorsqu'en 1938, Thomas Lanier Williams monte
dans le bus qui va de Saint Louis à la Nouvelle-
Orléans, il sait déjà qu'il vend son âme au diable. Et,
comme un joueur de blues, il descend aux Enfers. Il
change de nom pour laisser son adolescence derrière
lui et s'adapte parfaitement à sa nouvelle vie. La ville
l'enchante : « Si je peux dire que j'ai une maison, c'est
à La Nouvelle-Orléans qui m'a pourvu en matériel
plus que toute autre partie du pays », rappellera-t-il
souvent.

La découverte de Big Easy, cité permissive et
hétéroclite, les petits boulots dans les bars, les gares
routières, les appartements d'artiste fauché donnent à
la nature et au tempérament de Thomas l'occasion de

---

1. Les Espagnols ont occupé La Nouvelle-Orléans plus longtemps que les Français.
En 1762, le traité de Fontainebleau cède à l'Espagne l'Isle d'Orléans (La Nouvelle-
Orléans et sa région) ainsi que la partie ouest du Mississippi. En 1788, puis en 1794,
le feu détruit les vestiges de l'architecture française.

s'épanouir. Il découvre la sexualité, la nuit, dans les endroits mal famés, et au petit matin, à sa table de travail, il est encore plein de ces émotions nouvelles :

« Ce fut une période d'accumulation. J'y ai trouvé la liberté dont j'avais toujours eu besoin, et un tel choc m'a donné un sujet, un thème, que je n'ai jamais cessé d'exploiter. »

En 1938, Tennessee a vingt-sept ans. Il a déjà subi le premier traumatisme de son existence : l'opération de sa sœur, Rose. Sa vie à La Nouvelle-Orléans lui fournit le second : il découvre qu'il est homosexuel. Il avait des doutes, la ville lui apporte des preuves.

Certains écrivains américains revendiquent leur sexualité (Truman Capote), d'autres se taisent par discrétion (Paul Bowles), d'autres encore vivent en ghetto (William Burroughs). Tennessee Williams ne s'inscrit dans aucune de ces catégories. Tour à tour provocant (notamment dans ses *Mémoires* et dans son second roman, *Moïse et le monde de la raison*), discret ou honteux, il se sent surtout profondément coupable. La tolérance que lui manifestera toute sa vie son grand-père, le révérend Dakin, l'aidera énormément[1], mais son père, sa mère et son frère firent preuve d'une totale incompréhension et du plus grand mépris. Pour ne pas affronter l'homosexualité de Thomas, ils l'ignorèrent. Quant à Rose, le mot « sexualité » était définitivement effacé de son vocabulaire.

---

1. Le grand-père de Tennessee cachait un secret que sa famille ne découvrit jamais. Était-il victime d'un chantage ? Il distribuait son argent, toutes ses économies, à des étrangers qui venaient le voir en cachette de son épouse. Tenn le soupçonnait d'avoir, un jour, cédé à des désirs semblables aux siens...

La singularité de Tennessee Williams, ses blessures, ses différences en font un exclu qui n'appartient à aucun groupe, à aucune communauté, même pas celle des gays, dont il ne sera jamais solidaire. Cette solitude extrême enrichit son œuvre, mais affaiblit sa position sociale. L'Amérique est souvent réservée à l'égard de son travail et de sa personne :

« Le magazine *Time-Life* lui fut toujours hostile, car il le suspectait d'être "fondamentalement négatif" et "stérile", deux expressions codées pour désigner les pédés [1]. »

Toute sa vie, Tennessee Williams traînera une réputation de décadent pervers et malsain. C'était un pur et un poète. Il a beaucoup souffert de cette image poisseuse que les journalistes s'amusaient à lui coller à chaque nouvelle pièce. Sa paranoïa et son hypocondrie s'en sont nourries. Certaines personnes abîment ce qui leur échappe. C'est le grand pouvoir des petits cons.

En 1938, Tennessee habite au 431 Royal Street et paie ses trois dollars de loyer par semaine en étant serveur dans le Vieux Carré ou en distribuant des billets pour les clubs de jazz. Il écrit une nouvelle : *En Souvenir d'une aristocrate*.

Peu après, Tennessee déménage au 722 Toulouse Street, dans un vieil appartement à dix dollars par mois. En février, le Theater Group de New York fait un appel d'offres et s'engage à produire la pièce qui sera choisie. Tenn envoie plusieurs manuscrits, re-

---

1. Gore Vidal, *Masques*.

En souvenir d'une aristocrate (In Memory of an Aristocrat) raconte l'histoire d'Irene, une artiste peintre bohème, qui vit dans une petite chambre-cabine donnant sur Bourbon Street.

Sur son mur sont écrits ces mots : « Il n'y a qu'une seule aristocratie, c'est l'aristocratie des âmes passionnées. »

Une nuit, Irene, ivre et bavarde, confie au Narrateur : « Je voulais ouvrir les bras, les longs bras accueillants de mon art, pour étreindre le monde entier[1]. »

Juste après le Mardi gras, joyeusement fêté à La Nouvelle-Orléans, a lieu l'Exposition annuelle du printemps qui regroupe les toiles des artistes de la ville. Tous les tableaux d'Irene sont refusés. Le jour du vernissage, blessée et enragée, elle provoque un scandale dans la galerie au milieu des invités : « Les femmes qui poussaient des petits cris de chaton apprirent tout à coup à hurler comme on apprend à nager en tombant à l'eau. »

groupés sous le titre *American Blues*[2]. Rien ne l'arrête : l'âge limite pour participer au concours est de vingt-cinq ans ? Qu'importe ! Tennessee, qui en a déjà vingt-huit, se rajeunit de trois ans. D'où l'idée fausse selon laquelle Tennessee Williams serait né en 1914 et non en 1911. Lorsque, des années plus tard, un journaliste le lui fera remarquer, il répondra tout

---

1. Propos attribué à D.H. Lawrence, dans *Je monte en flammes, cria le Phenix (I Rise in Flame, Cried the Phoenix).*
2. *American Blues* regroupe cinq pièces courtes : *Moony's Kid Don't Cry* ; *Ten Blocks of the Camino Real* ; *The Case of The Crushed Petunias* ; *The Dark Room* ; *The Long Stay Cut Short.*

naturellement : « J'ai choisi de ne pas tenir compte des trois ans que j'ai passés à la fabrique de chaussures. »

Est-ce nécessaire de rappeler qu'il n'y est resté que dix mois ?

En attendant le verdict, Tenn part pour la Californie avec un ami musicien, Jim Parrot. Il est obligé de mettre au clou tout ce qu'il possède pour payer son billet d'autobus. Tout, sauf la machine à écrire portative que sa mère lui a offerte quand il était enfant.

Le 7 mars, ils arrivent à Los Angeles. Jim trouve un emploi dans une entreprise qui fabrique des avions pour l'armée. On craint la guerre en Europe et la main-d'œuvre se fait rare. Mais Tennessee n'est pas embauché. Une cataracte est en train de se former dans son œil gauche, et sa vue est trop mauvaise. Le seul job qu'il réussit à trouver, dans un ranch à dix miles de Culver City, lui permet à peine de subsister : décapiter et plumer des pigeons seize heures par jour. Chaque employé dispose d'une bouteille de lait vide : pour chaque pigeon tué, une plume dans la bouteille. À la fin de la journée, le patron compte les plumes et paie en fonction du nombre.

En 1945, Tennessee Williams écrira une nouvelle, *Parenthèse*, qui raconte les vacances en Californie de deux jeunes professeurs : Augusta et Gretchen. Celles-ci rencontrent Jimmie, « un de ces garçons plutôt doués, qui, depuis l'âge de quinze ans, semblent toujours sur le point de percer dans le monde du spectacle ». Gretchen épouse Jimmie. Dans ses nouvelles en apparence les moins autobiographiques — l'histoire de deux jeunes femmes et le mariage raté de l'une d'elles – Tennessee reste le chroniqueur de sa vie. Ainsi, dans *Parenthèse*, Jimmie part précipitamment pour New York, d'où il envoie une carte postale à sa femme : « Dans le coin à gauche de la photo [...] tu peux voir le théâtre où nous allons jouer après la première à Boston. » De même que *Battle of Angels* ne sera pas joué à Broadway après les premières représentations à Boston, en 1941, les projets de Jimmie ne se réaliseront pas.

Le 20 mars 1939, Molly Day Thacher, la femme d'Elia Kazan, membre du Theater Group de New York, écrit à Tennessee que le premier prix de cinquante dollars a été attribué à Ramon Naya pour *Mexican Mural*[1], mais que les pièces en un acte qu'il a envoyées sous le titre d'*American Blues* ont obtenu un prix spécial de cent dollars. Avec l'argent, Tenn et Jim achètent deux bicyclettes et gagnent le Mexique. À la mi-mai, ils rentrent en Californie et passent l'été comme gardiens de poules dans une ferme près de Laguna Beach. Tennessee se souviendra de cette période comme l'une des plus heureuses et des plus saines de sa vie :

« Dans le journal que je tenais à l'époque, j'appelle cet été *Nave Nave Mahana*, qui est le titre de la toile de Gauguin que je préfère, de la période tahitienne, et signifie quelque chose comme enchantement[2]. »

Tandis qu'il travaille (peu) et s'amuse (beaucoup) en Californie, Molly Day Thacher envoie *American Blues* à l'un des plus grands agents littéraires des États-Unis, Audrey Wood. Petite secrétaire qui a

---

1. Le jury se composait de Harold Clurman, de Molly Day Thacher et d'Irwin Shaw.
2. *À cinq heures mon ange.* Lettres à Maria Saint-Just, *op. cit.*

épousé son patron, William Liebling, Audrey Wood est devenue directrice de la prestigieuse International Famous Agency, située à Rockefeller Center, à New York. Audrey n'a que six ans de plus que Tennessee, et pourtant elle se conduit comme une mère avec lui. Robert Anderson, auteur de *Thé et sympathie*, s'étrangle de jalousie :

« ... au milieu des années 40, elle [Audrey] avait déjà depuis longtemps pris en charge ses finances personnelles, payait ses factures, répondait à son courrier [...]. Il l'appelait souvent à de drôles d'heures, et elle accourait aussitôt à son secours... [1] »

Il est vrai que Tennessee ne saura jamais de combien d'argent il dispose en banque. C'est à Audrey qu'il demandera s'il peut s'offrir une nouvelle voiture, s'il a les moyens de partir en voyage ou s'il lui reste des droits d'auteur à toucher à l'étranger. Jusqu'à la fin des années 60, il lui fera une totale confiance, puis il commencera à la soupçonner de ne pas bien gérer ses intérêts.

En 1939, il a besoin d'elle. Il est incapable de s'occuper de ses affaires courantes. Cependant, au lieu de se hâter d'intégrer la plus grande agence des États-Unis, Tennessee fait la fine bouche pendant plusieurs semaines avant de signer son contrat. Cela amuse énormément Audrey Wood qui considère avec tendresse cette attitude comme celle d'un petit garçon.

Le 20 juin, elle écrit à Tennessee que le magazine *Story* accepte *Le Champ des enfants bleus* et le

---

1. *The Kindness of Strangers, op. cit.*

publiera en octobre, sous le nom de Tennessee Williams.

Le 30 juillet, Tenn renvoie son contrat signé.

À la fin de l'été de 1939, Tennessee en a assez de la Californie. Il est impatient d'aller à New York, mais manque de l'argent nécessaire au voyage. Il se plaint à Audrey Wood qui lui envoie aussitôt une avance sur ses droits équivalant au prix d'un billet d'autobus. Le 25 août, il fait une escale à Taos, au Nouveau-Mexique, pour rencontrer Frieda, la veuve de D.H. Lawrence qu'il admire et à qui il veut consacrer une pièce. À cette époque, aux États-Unis, Lawrence est un auteur controversé et Audrey n'apprécie pas vraiment cette initiative.

Au début de septembre, Tenn est à Saint Louis et, n'écoutant que son désir, il écrit *Je monte en flammes, cria le Phénix*, sur la mort de Lawrence. Il travaille également sur une pièce en vers avec accompagnement musical à la guitare : *The Purification*, une histoire d'amour qui finit mal entre un frère et une sœur.

À la fin de septembre, Tenn arrive à New York et prend une chambre sur la 108ᵉ Rue Ouest à cinq dollars la semaine. Le 11 octobre, il se présente à l'International Famous Agency et rencontre pour la première fois son agent-nourricière : Audrey Wood.

À la fin de l'année, Tennessee n'a plus d'argent et doit retourner chez ses parents, à Saint Louis. Il envoie des lettres plaintives à Audrey laquelle, en retour, lui annonce une très bonne nouvelle : la Guilde dramatique, grâce à un don de la fondation

> *Je monte en flammes, cria le Phénix* (I Rise in Flame Cried the Phœnix) est une pièce en un acte dont l'action se situe à Vence, sur la Côte-d'Azur, où D.H. Lawrence est mort. C'est un dialogue violent entre Lawrence, malade, et sa femme Frieda.
>
> Lawrence : « Personne ne sait quelle sinistre blague c'est qu'une vie comme la mienne, qui ne s'exprime que par les livres.
>
> — Où d'autre peut-elle s'exprimer ?
>
> — Dans l'action violente. Mais tout ce que je fais, c'est de me trimbaler par le monde avec des femmes, des manuscrits et une humeur massacrante. [...] Je veux mourir en vieil animal solitaire, je veux mourir cruellement et proprement avec rien que la colère et la peur et d'autres sentiments très durs qui viennent à la fin. »

Rockefeller, lui octroie mille dollars qui lui seront versés en mensualités de cent dollars pendant dix mois. Tennessee remonte immédiatement à New York au début de l'année 1940. Il prend une chambre au dixième étage du YMCA de la 63ᵉ Rue Ouest et s'inscrit à un séminaire d'écriture organisé par la New School for Social Research. Très vite, il découvre les excursions nocturnes à Central Park et rencontre un jeune écrivain débutant, originaire du Sud (Géorgie), de dix ans son cadet, alors éditeur du magazine *Dance Index* : Donald Windham. Leur amitié se prolongera bientôt en collaboration professionnelle et, surtout, donnera lieu à une correspondance abondante [1].

---

1. Tennessee Williams, *Letters to Donald Windham*, 1940 à 1965. Première publication en édition limitée à Vérone, Italie, par Sandy Campbell, en 1976.

L'oiseau s'envole

Tennessee Williams est extrêmement actif. Il passe ses nuits à draguer et à boire dans les bars de Time Square et les matins à travailler. Il lui arrive de taper si longtemps sur les touches de sa machine à écrire que le ruban est usé sans qu'il s'en soit aperçu. Lorsqu'il lève les yeux de son clavier, parfois, la feuille est blanche. Crevassée par endroits, salie, déchirée, mais blanche. Des pages et des pages frappées du sceau invisible de la fébrilité.

Il écrit des pièces de théâtre : *Battle of Angels, At Liberty, The Long Good Bye, Stairs to The Roof* (inédite), une comédie qui raconte le temps perdu à la fabrique de chaussures (le titre étant inspiré des escapades de Thomas sur les toits de l'entrepôt pour fumer une cigarette) et une nouvelle, *La Chambre noire*.

Nouvelle, ou pièce en un acte, *La Chambre noire* (The Dark Room) est un dialogue rapide entre une assistante sociale, Miss Morgan, et une pauvre femme abrutie et illettrée, Mrs Luca. Leur sujet de conversation : Tina, seize ans, enfermée depuis six mois dans sa chambre, dans le noir, nue sur son lit, et que visite, la nuit, l'homme qui l'a mise enceinte.

Tennessee Williams est l'interprète de ceux que la misère a lobotomisés. Sans juger, il témoigne du « peuple souffrant et ignorant ». « Je décris ce qu'on appelle des "petites gens" – Mais qu'est-ce que cela veut dire "petites gens" ? Je pense parfois qu'il n'y a que des petites conceptions des gens [1]. »

---

1. *Mémoires, op. cit.*

Les 9 et 10 février 1940, la première production new-yorkaise de Tenn est montée à la New School for Social Research. La pièce s'intitule *The Long Good Bye* et personne ne sait encore à quel point elle est autobiographique :

« Vous dites au revoir tout le temps... chaque minute de votre vie. Parce que la vie, c'est ça. Juste un long long au revoir, d'une chose à l'autre. »

En avril, la Guilde du théâtre prend une option sur *Battle of Angels*. Mais, malgré l'intérêt que lui porte la scène théâtrale new-yorkaise, Tennessee est déprimé. Il écrit à sa mère qu'il traverse une période stérile.

Au printemps, il rencontre Paul Bigelow, homme satellite du Theater Group, qui l'encouragera et l'aidera pendant quarante ans. Il envoie le jeune écrivain dépressif passer l'été à Provincetown (Massachusetts). Tenn prend une chambre pour vingt dollars la semaine au Captain Jack's Wharf sur Commercial Street. En août, il écrit à Donald Windham : « La vie, ici, est très belle et sereine. Je prends des leçons gratuites de conga, je travaille sur un long poème narratif, je nage tous les jours, je bois tous les jours et je baise toutes les nuits. Que pourrais-je raisonnablement demander de plus [1] ? »

C'est un été de drague et de plaisir au cours duquel il fait la connaissance d'un jeune danseur canadien, d'origine juive-ukrainienne, Kip Kierman. Ils tombent très amoureux l'un de l'autre, surtout Tenn. À la fin de l'été, Kip le quitte, prétextant qu'une relation

---

1. Lettre à Donald Windham, Holt, Rinehart and Winston, 1977.

homosexuelle pourrait nuire à sa carrière de danseur. En septembre, Tennessee écrit à Donald que sa rupture avec Kip n'est qu'« un incident parmi une longue accumulation de tensions et de difficultés ». Tennessee devient franchement hypocondriaque. Comme beaucoup de ceux qui ont eu une santé fragile dans leur enfance, il écoute son corps et s'inquiète du moindre malaise.

Le cœur en peine, Tenn part pour le Mexique où il croise un couple qui restera présent tout au long de son existence : Jane et Paul Bowles.

Paul, écrivain et musicien, composera de nombreuses partitions pour les pièces de Tennessee : *Été et fumée*, en 1948, *Le Doux Oiseau de la jeunesse*, en 1959, et *Le train de l'aube ne s'arrête plus ici*, en 1963.

En mai 1953, Tennessee Williams assiste à la première de l'unique pièce de Jane, *In The Summer House* :

« Ce n'est pas seulement la pièce la plus originale que j'aie lue, mais aussi, je crois, la plus étrange, la plus drôle et l'une des plus touchantes. [...] C'est l'une de ces rares pièces qui ne sont pas mises à l'épreuve du théâtre, mais qui mettent le théâtre à l'épreuve [1]. »

En mai 1973, Tennessee est à New York dans le bureau de son nouvel agent, Bill Barnes, lorsqu'il apprend la mort de Jane. Il appelle aussitôt le *New York Times*, furieux qu'aucun journal américain n'ait annoncé la nouvelle. Tennessee Williams adorait Jane Bowles et la considérait comme « le meilleur écrivain

---

1. *Jane Bowles, une femme accompagnée, op. cit.*

de fiction de sa génération ». Pour lui, « Janie fut toujours un réconfort », notamment après la mort de Franck Merlo en 1963 et, bien qu'il n'aimât pas Tanger, où elle habitait avec Paul, il allait la voir le plus souvent possible.

Elle était très présente dans l'esprit de Tennessee : il baptisa le kiosque de son jardin de Key West « The Jane Bowles Summer House » et, dans *Moïse et le monde de la raison*, Moïse n'a conservé dans son appartement de Bleecker Street aucun livre, sauf ceux de Jane [1].

Tennessee s'installe quelque temps sur la Costa verde, à Puerto Vallerta, au nord d'Acapulco, dans un hôtel, sur une plage nommée Mismaloya. Petit village de pêcheurs situé à mille kilomètres de Mexico Ciudad, entre les flots bleu acier du Pacifique et une chaîne de montagnes tropicales, Puerto Vallerta est rapidement devenu une résidence d'hiver pour artistes américains, puis une station balnéaire pour riches Mexicains. Tenn y écrit le premier jet d'une nouvelle, qui deviendra une pièce magnifique, puis un film superbe, *La Nuit de l'iguane*.

Au début du mois d'octobre 1940, Tennessee retourne à Saint Louis dans la nouvelle maison familiale du 53 Arundel Place, à Clayton. Il écrit à Donald que, s'il veut lui répondre, il doit le faire avant le 16, date de son départ, car sa mère ouvre son courrier... Le 24, Tennessee est à New York pour la production

---

1. Jane Bowles est l'auteur d'un roman, *Deux Dames sérieuses* ; d'un recueil de nouvelles, *Plaisirs paisibles* (les deux ouvrages sont publiés en France chez Christian Bourgois collection 10/18). Et d'une pièce de théâtre, *In The Summer House*.

La Nuit de l'iguane (The Night of the Iguana)[1] met en scène trois Américains dans un hôtel modeste, le Costa verde : deux écrivains homosexuels et Miss Edith Gelkes, peintre, trente ans, célibataire, ancien professeur de dessin dans une école religieuse de filles. Miss Gelkes ressemble à Blanche Du Bois : elle est issue, comme l'héroïne d'*Un tramway nommé Désir*, d'une vieille famille du Sud en pleine dégénérescence où l'on trouve « des vieilles dames des deux sexes extrêmement convenables ».

Miss Gelkes voudrait quitter l'hôtel Costa verde, mais l'indifférence des deux hommes l'intrigue. Un soir, le fils de la patronne attrape un iguane et l'attache sous la fenêtre de Miss Gelkes. Toute la nuit, l'iguane tire sur sa corde et la femme ne peut pas dormir. Pour tromper son insomnie, elle rend visite aux deux écrivains. Le plus jeune s'enfuit, l'autre reste.

Ils discutent somnifères :

« Qu'est-ce que vous prenez comme cachets ?

– Du Seconal. Et vous ?

– Barbital. C'est bon, le Seconal ? »

Soudain, il se jette sur elle, éjacule au creux de son ventre, tache la chemise de nuit de la vieille fille qui se débat :

« C'était le démon de la virginité qui habitait son corps et qui repoussa le furieux assaillant. »

À la fin de la nuit, la tempête ou une main charitable libère l'iguane. Miss Gelkes s'endort, ses doigts caressent la tache humide et froide sur son ventre :

« La corde de sa solitude, qui l'étranglait, avait été

---

1. La nouvelle a été traduite en français sous le titre : « La nuit où l'on prit un iguane ».

tranchée, elle aussi, par ce qui s'était passé cette nuit-là... »

Quelques années avant Alma Winemiller (*Été et fumée*) et Blanche Du Bois, Miss Gelkes incarne Rose et Thomas réunis.

de *Battle of Angels*, sous la direction de Margaret Webster, avec Wesly Addy dans le rôle de Val et Miriam Hopkins dans celui de Myra. Les répétitions commencent en novembre pour la première qui aura lieu le 30 décembre au Wilbur Theater de Boston. La pièce, selon l'auteur lui-même, est « un mélange de super-religiosité et de sexualité hystérique coexistant dans le personnage principal ».

Le poète vagabond Val Xavier, que l'on retrouvera dans *La Descente d'Orphée*, puis dans l'adaptation cinématographique *L'Homme à la peau de serpent*, débarque dans la vie d'une femme, Myra, prise au piège d'un mariage sans amour avec un homme plus vieux qu'elle, Jabe Torrance, qui se meurt d'un cancer.

Le soir de la première, la moitié des spectateurs quitte la salle avant la fin du spectacle, tandis que les autres sont asphyxiés par les fumigènes et autres « effets spéciaux ». Les critiques, pourtant, ne sont pas catastrophiques et reconnaissent le talent poétique du jeune auteur. Alexander Williams écrit dans le *Boston Herald* :

« Mr. Tennessee Williams a sûrement écrit une pièce étonnante, avec un mélange de poésie, réalisme, mélodrame, comédie et érotisme des plus étranges... »

Battle of Angels sera jouée pendant deux semaines, malgré les coupures exigées par un membre du Boston City Council qui a reçu des plaintes de spectateurs outrés. On cesse de produire la pièce le 11 janvier 1941. La Guilde décide qu'elle n'ira pas à New York avant qu'aient été effectuées les quelques révisions qu'elle juge nécessaires.

Profondément déçu, Tenn projette d'aller se ressourcer à Key West, refuge de son idole Hart Crane. Sur le chemin de Boston à Key West, il s'arrête à New York où l'attendent ses papiers militaires. Il est réformé du fait de sa mauvaise vue. La cataracte de son œil gauche est si avancée qu'il doit se faire opérer immédiatement. L'opération, la première d'une série de quatre, ne réussit qu'à moitié. Il part pour Key West en mauvais état. Il écrit *Le Mystère du Joy Rio*.

Le 12 février 1941, Tenn arrive à Key West et prend une chambre, avec Jim Parrot, au Trade Winds que tient la veuve d'un pasteur épiscopalien, Mrs. Cora Black. Il décrit l'endroit dans une lettre à Donald :

« C'est comme si un vieux loup de mer avait promis à sa fiancée de Nouvelle-Angleterre de lui construire la plus grande maison à Key West si elle se mariait avec lui. Apparemment, c'est ce qu'elle a fait. »

C'est là qu'il rencontre Marion Black Vaccaro, la fille de la maison, qui deviendra une amie très proche. Elle a cinq ans de plus que lui, a été gouvernante avant de devenir une sympathique alcoolique nymphomane, riche héritière d'une exploitation de bananes. Ils partagent leur whisky et se racontent leurs aventures sexuelles. Maria Saint Just, avec la bienveillance qui la caractérise, se souviendra de Marion :

Le Mystère du Joy Rio (The mysteries of the Joy Rio) raconte l'histoire d'un horloger, Pablo Gonzales, qui se souvient de son ancien patron, Emiel Kroger, auquel il a succédé. À côté de la boutique, près du fleuve, se trouve un vieil opéra transformé en cinéma de troisième ordre : le Joy Rio.

« Mr Gonzales avait hérité plus que les possessions matérielles de feu son bienfaiteur : il avait également reçu de lui l'habitude de certaines pratiques furtives et rapides accomplies dans des endroits sombres, pratiques qu'Emiel Kroger n'avait abandonnées qu'à l'époque où Pablo était entré dans son existence déclinante. »

Un jour, le fantôme d'Emiel Kroger apparaît à Pablo Gonzales au sommet de l'escalier du Joy Rio :

« Pablo, lui dit-il, ne crains jamais la solitude au point de perdre toute prudence. [...] Rentre chez toi, sans rien, rentre chez toi ! »

En 1953, la nouvelle *Sucre d'orge* (*Hard Candy*) reprendra exactement le même thème.

Ancien propriétaire d'une boutique de confiserie, Mr Krupper a cédé son commerce à sa seule famille : un jeune cousin éloigné qui le méprise. Le vieux va régulièrement voir le jeune et, à chacune de ses visites, prend dans un bocal, sur le comptoir de la boutique, une énorme poignée de sucres d'orge, sous le regard accusateur du cousin, de sa femme et de sa grosse petite fille. Tennessee Williams décrit les habitudes du vieil homme avec toute la tendresse et la connaissance qu'il a d'un autre vieillard, le révérend Dakin. Mr Krupper va au Joy Rio, un petit cinéma minable près des quais. Il s'installe dans les vieilles loges sombres du dernier étage, interdites au public, et offre des sucres d'orge à un « jeune cheval » (allusion à Franck Merlo), qui accepte en échange les regards et les caresses désespérées du vieil homme. « Lorsque vers minuit les lumières du Joy Rio se rallumèrent pour la dernière fois, cette soirée-là, on découvrit le corps de Mr Krupper dans sa loge. » Des papiers poisseux de sucre d'orge éparpillés à ses pieds.

« Je n'ai rencontré Marion Vaccaro, mieux connue sous le surnom de "reine de la banane", que deux fois. Les deux fois, elle était petite, blonde, grosse et soûle[1]. »

Marion est le modèle de Cora dans la nouvelle *Billy et Cora*, écrite en 1951. Le professeur d'anglais à l'université du Nebraska, Oliver Evans, dit « le clown », est le modèle de Billy.

C'est une période difficile pour Tennessee. Il est à moitié aveugle, n'a pas d'argent et travaille à la révision de *Battle of Angels*. Il écrit à Audrey Wood qu'il est harcelé par des « démons bleus », ceux-là mêmes qui donnèrent leur nom à cette musique qui lui rappelle le Mississippi : le blues. Il est malheu-

---

1. *Lettres à Maria Saint-Just*, *op.cit*. Il s'agit ici d'un commentaire de Maria Saint-Just ajouté à l'une des lettres publiées dans ce recueil.

L'histoire de *Billy et Cora* (Two on a Party) se situe entre les *Contes* de Bukowski et les aventures de *Bonnie and Clyde.*

Un homosexuel à la calvitie naissante et une ivrognesse au grand cœur se rencontrent chez Emerald Joe, un bar de Manhattan. Ils cherchent ensemble un compagnon pour la nuit :

« Un soir sur deux, l'un d'eux réussissait dans la poursuite de ce que Billy appelait "la quête lyrique". »

Ils mènent une vie d'errance et de solitude. Ils se tiennent chaud à la manière de deux chiens perdus et affamés. Ils sont hors la société, hors-la-loi, ne s'inscrivent pas dans l'ordre naturel des choses.

« Ils ne détestaient pas seulement ceux qu'ils appelaient les "réguliers" (*squares*). Ils méprisaient et haïssaient ces gens-là, et pour les meilleures raisons du monde. Leur existence à eux était une lutte continuelle contre les réguliers du monde. »

reux. Il a échoué. À trente ans, il n'a pas encore réussi à plaire au plus grand nombre et il désespère. Encore quatre ans à attendre :

« J'ai plongé dans une de mes névroses périodiques écrit-il à Donald Windham, je les appelle les "démons bleus" et c'est comme d'avoir des chats sauvages sous la peau. C'est un trait de la famille Williams, je suppose. Ça a détruit l'esprit de ma sœur et rendu mon père alcoolique. Chez moi, ils prennent la forme d'orages intérieurs, qui se remarquent très peu de l'extérieur, mais qui créent un abîme sans fin entre moi et les autres, plus profond encore que l'abîme ordinaire consécutif au fait d'être homosexuel et artiste. C'est curieux, les différentes formes qu'ils prennent. Certains jours, quand j'ai du courage, je m'assois et les affronte et les écris. En ce moment, je ne peux parler que des symptômes parce que, si je les regardais de trop près, je sens qu'ils se jetteraient sur moi violemment. En ce moment, par exemple, tout contact avec les gens est comme un doigt salé caressant une plaie vive... »

Tennessee remonte en stop de Key West jusqu'à Saint Louis. Il passe deux semaines sur la route, ce qui lui plaît énormément. Il arrive chez ses parents au début du mois d'avril et y reste deux mois. En juin, il rentre à New York. Paul Bigelow, alarmé par son état psychologique déplorable, l'envoie passer l'été en Nouvelle-Angleterre. Tennessee rencontre un étudiant, Bill Canastra, avec qui il boit, entre autres choses. À la fin de juillet, il retourne chez Paul Bigelow à New York.

Au mois de septembre, Tennessee descend pour la deuxième fois à La Nouvelle-Orléans. C'est cette année-là qu'il fréquente l'Athletic Club où il observe deux personnages étranges, dont il fera une nouvelle en 1946, *Le Masseur noir* (Desire and The Black Masseur)[1]. L'histoire très symbolique d'Anthony Burns, petit employé timide (« dans chaque mouvement de son corps, dans chaque inflexion de sa voix, chaque expression de sa physionomie, il y avait

---

1. La nouvelle *Le Masseur noir* a inspiré le film de Claire Devers, *Noir et Blanc*, en 1986. Avec Francis Frappat, Jacques Martial et Isaach de Bankolé.

comme une excuse timide adressée au monde »), qui rencontre dans un bain turc « l'instrument de son expiation » en la personne gigantesque et brutale d'un masseur noir. Tennessee Williams définit l'expiation comme étant « la soumission de soi-même à la violence d'un autre, avec l'idée de se laver ainsi soi-même de toutes ses fautes ». La *faute*, c'est-à-dire le désir, thème essentiel dans l'œuvre de Tennessee. « Désirer, cela consiste à vouloir occuper un espace plus grand que celui qui vous est offert. » Désirer, c'est passer les limites de son propre corps. Sortir de soi, s'ouvrir au monde, se mettre en danger... « Toute ma vie, j'ai été hanté par l'idée obsédante que désirer une chose ou l'aimer intensément, c'est se mettre en position vulnérable [1]. » Qu'importe, les personnages de Tennessee n'ont pas peur de souffrir. Comme s'ils s'épanouissaient dans la douleur, ils ne fuient jamais le danger : ils l'accueillent.

Outre la présence, dans son œuvre, de nombreux éléments autobiographiques, Tennessee ne pouvait pas écrire s'il n'y avait pas au moins un personnage pour lequel il éprouvât un désir physique. Onanisme. Jeu de miroirs d'un écrivain qui se regarde à l'envers : la main gauche à droite, la main droite à gauche, et le sexe au milieu.

Un jour, un massage plus violent que les autres brise le petit corps blanc d'Anthony Burns. Le géant et son client se font renvoyer de l'établissement :

« Le géant noir, avec tendresse, emporta dans ses bras son partenaire inerte. Il l'emmena dans une

---

1. Préface du *Doux Oiseau de la jeunesse*, publié dans le *New York Times*, le dimanche 8 mars 1959.

chambre du quartier de la ville. Ils vécurent une semaine de passion. Cela se passait vers la fin du carême. »

En face de leur chambre, d'une petite église, s'échappent les paroles d'un prédicateur : « Souffrez ! Souffrez ! Souffrez ! [...] notre Seigneur a été cloué sur la croix pour expier les péchés du monde [...]. Et lui était *la rose* du monde ! Et il a saigné sur la croix ! »

Et le géant noir dévore le petit Blanc : « ...c'est parfait, tout est consommé. »

Tennessee vient du Sud, et la religion est au Sud ce que la pluie est à l'Angleterre : une habitude familière. On se pose la question de l'existence de Dieu le jour où l'on cesse d'aller à l'église. Tant qu'on assiste au culte, tout paraît aller de soi. On écoute les sermons du prêtre ou du pasteur comme le diagnostic du médecin : aveuglément. *A priori*, ils ont raison. Ce n'est qu'après l'erreur médicale ou une crise de conscience spirituelle que l'esprit se réveille et devient exigeant. Il faut un choc pour déclencher le processus de la pensée. C'est lorsqu'on tombe malade qu'on s'aperçoit de l'incompétence de ceux qui prétendent nous soigner.

À la fin de sa vie, après avoir été traîné dans la boue par les médias, Tennessee Williams dira :

« Je reste un romantique et un sensuel, un adorateur de Dieu et un croyant[1]. »

---

1. Et dans ses *Mémoires*, il écrira : « Je n'ai jamais douté de l'existence de Dieu et je n'ai non plus jamais négligé de me mettre à genoux pour le prier, lorsque la situation dans laquelle je me trouvais (et il y en eut beaucoup) me semblait assez critique pour mériter l'attention du Seigneur et, je l'espérais, son intervention. »

En 1949, dans *La Ressemblance entre une boîte à violon et un cercueil*, il avouera :

« ...je commençais d'associer le sensuel avec l'impur, erreur qui devait me tourmenter pendant et après ma puberté. »

Son ami Gore Vidal note judicieusement que Tennessee avait une foi superstitieuse, à la manière des gens du Sud :

« L'Oiseau ne croyait peut-être pas en Dieu, mais il croyait au péché. »

Toute la relation de Tennessee Williams à la religion est là.

Il était marqué au fer rouge par les lois religieuses, applications réductrices et trafiquées de l'enseignement divin. Lorsqu'on lit certains livres cultuels imprimés dans l'État du Mississippi, on comprend aisément ce qui peut se passer dans la tête d'un enfant. Il est écrit dans les Bibles du Mississippi que le *mal* est noir, juif, pédé, communiste. Tennessee disait souvent que quand il était enfant, il avait l'impression d'être noir de peau. Il ne connaissait ni les juifs, ni les pédés, ni les communistes.

À la fin de l'année 1941, Tennessee apprend que sa grand-mère est gravement malade. Elle est à Saint Louis, chez sa fille, pour subir une série d'examens médicaux. Tenn la rejoint aussitôt.

« Une nuit de novembre, j'arrive à la maison très tard, et, en remontant l'allée, je vois, à travers les rideaux des fenêtres, ma grand-mère qui déambule dans le salon comme un squelette habillé. Cela me fait un tel choc qu'il me faut déposer mes bagages sur le seuil et attendre près de cinq minutes avant de pouvoir entrer. Ma grand-mère est restée seule à m'attendre jusqu'à cette heure tardive. Mes parents ont dû penser que j'avais continué ma route vers New York, comme je l'ai si souvent fait, malgré ma promesse de passer à la maison [1]. »

En février 1942, Tennessee est toujours à Saint Louis, retenu par une épidémie de gale, qui, évidemment, ne l'a pas épargné. En mars, il retourne à New York pour une deuxième opération de l'œil gauche. Il trouve un job au Beggar's Bar, à Greenwich Village. Il est serveur et récite des poèmes. C'est là qu'il rencontre une artiste peintre, Olive Leonard, grande allumée devant l'Éternel. Elle sera le modèle de Moïse dans *Moïse et le monde de la raison*.

Tennessee écrit six pièces en un acte : *The Last of My Solid Gold Watches*, *The Case of The Crushed Petunias*, *Auto Da Fé*, *The Frosted Glass Coffin*, *Hello from Bertha* et *The Lady of Larkspur Lotion*. Mais, surtout, il travaille avec Donald Windham à l'adaptation théâtrale d'une nouvelle de D.H. Lawrence, *You Touched Me !* La collaboration est difficile. Tennessee Williams est extrêmement individualiste et s'approprie peu à peu le projet commun.

En mai, il écrit le premier jet du *Boxeur manchot* (ou *La statue mutilée*).

Le 2 juin, la New School produit *Propriété*

---

1. *Le Vieil Homme dans son fauteuil* 1960. *Toutes ses nouvelles*, Robert Laffont.

Le Boxeur manchot (One Arm) raconte la triste existence d'Oliver Winemiller, ex-marin, ex-boxeur, devenu manchot puis prostitué pendant l'hiver de 1939 à La Nouvelle-Orléans. Une lente dégradation, jusqu'au meurtre et à l'exécution capitale : « Maintenant il ne ressentait plus rien de si honteux qu'il ne pût simplement laver avec de l'eau et du savon. »

Dans sa cellule de condamné à mort, Oliver reçoit des lettres de ses anciens clients. Ceux à qui il a donné beaucoup pour finalement très peu d'argent. Ses compagnons d'un soir se confient à lui sans retenue. Il leur répond et, enfin, trop tard, comme un dernier supplice, découvre l'amour et s'éveille à la vie.

condamnée (This Poperty Is Condemned) [1], pièce en un acte, qui reçoit un vif succès.

Propriété condamnée (This Property Is Condemned) raconte l'histoire de Willie, une petite fille perdue qui hante une ligne de chemin de fer avec, dans une main une poupée cassée, La Toquée, et dans l'autre, un bout de banane pourrie. Willie vit dans le souvenir de sa sœur Alva, « le clou du spectacle » emportée par une tuberculose au Jardin des Macchabées. Elle explique à Tom, le jeune garçon qui la questionne, que : « ...ça n'était pas une mort comme au cinéma. Quand on meurt au cinéma, on fait jouer les violons ».

---

1. Adaptée au cinéma, en 1966, par Sydney Pollack (titre français : *Propriété interdite*), avec Robert Redford, Natalie Wood et Charles Bronson.

Malgré la réussite de la production, Tennessee est déprimé. Il rejoint Paul Bigelow à Macon (Géorgie). En juillet, il écrit à Donald qu'il a terminé *You Touched Me !* En août, la Guilde du théâtre refuse la révision de *Battle of Angels*.

À la fin du mois de juin, il part pour Key West rejoindre la famille Black. Il s'arrête en route, à Jacksonville (Floride), où il trouve du travail comme télétypiste pour The United States Engineers, War Department. Il a des horaires – 23 à 7 heures – qui lui permettent de se promener et d'écrire pendant la journée. Il ne sait pas lui-même quand il dort. À la fin de novembre, il remonte à New York, tournant le dos à Key West, et occupe un emploi de garçon d'ascenseur à l'hôpital San Jacinto pendant quelques semaines. Il se fâche avec Paul Bigelow qui leur avait proposé, à lui et à Donald, de taper à la machine *You Touched Me*. Une fois en possession du manuscrit, il fait preuve de mauvaise volonté et tarde à rendre le travail.

S'écoule un hiver de misère et de violence. Un soir, à l'hôtel Claridge, Tennessee et Donald se font mettre en pièces par deux marins ivres morts. Épuisé et plus angoissé que jamais, Tenn retourne chez ses parents à Saint Louis. En avril 1943, il écrit à Donald :

« Ici, la situation est bien pire que je ne l'avais imaginé. [...] la famille ne peut même pas s'asseoir autour de la même table [...]. Ils m'ont montré une lettre de Rose qu'ils considèrent comme encourageante, alors qu'elle écrit que j'ai de la chance d'être toujours en prison pendant que des "hordes de gens affamés hurlent aux portes de la ville"... »

« Grande » est toujours très malade. Dakin, qui aurait voulu devenir officier, se voit contraint de faire son service militaire comme simple soldat, Cornelius ayant refusé de lui payer une formation à Harvard. Tenn commence *The Gentleman Caller*, qui aurait pu s'intituler « Not Beautiful People » ou « Human Tragedy ». Cornelius quitte Saint Louis.

À la fin du mois d'avril, Tennessee reçoit un coup de téléphone d'Audrey Wood et remonte aussitôt à New York : elle vient de lui décrocher un contrat de six mois avec la Metro-Goldwin-Mayer, à deux cent cinquante dollars par semaine.

*

La Ménagerie de verre
1944

La période est prospère pour les studios d'Hollywood, et depuis les années 30, beaucoup de romanciers et d'auteurs dramatiques sont appelés à venir y travailler : William Faulkner, F. Scott Fitzgerald, John Steinbeck... Le 4 mai 1943, Tennessee Williams signe son contrat avec la MGM dans le bureau d'Audrey. Le 7, il prend le train pour Los Angeles. Le contrat spécifie que son premier travail consistera à développer le scénario de *Marriage Is a Private Affair*, pour Lana Turner. Au bout de quelques jours, Tenn se rend à l'évidence : il ne peut pas écrire une histoire qui ne lui plaît pas. Il préfère se consacrer à une pièce de son cru : *The Gentleman Caller.*

Tennessee retrouve un vieil ami, David Greggory, et s'en fait un nouveau, Christopher Isherwood. Il prend un appartement au 1647 Ocean Avenue, à Santa Monica. Il écrit à Donald :

« J'ai fait l'erreur de prendre un appartement sur les Palisades, à Santa Monica. Il n'y a rien de pire pour quelqu'un de seul que la vue de l'océan, spécialement le Pacifique, et les foules de joyeux vacanciers sur la plage renforcent cette solitude... »

C'est la seule période de sa vie pendant laquelle il vit tout seul. Jusqu'en 1944, Tenn habitera soit chez ses parents à Saint Louis, soit avec des amis, partageant le loyer d'un appartement ou s'invitant chez eux. Après le succès de *La Ménagerie de verre*, il sera toujours accompagné d'un « secrétaire » ou « compagnon de voyage » et quand il ne descendra pas à l'hôtel, il aura toujours quelqu'un à son service pour s'occuper des travaux ménagers. Pour l'instant, nous sommes en 1943, et Tennessee s'entend très bien avec les fourmis qui envahissent sa cuisine, épargnant miraculeusement la seule nourriture qui s'y trouve : céréales, sucre brun et café. Sa propriétaire est une belle femme d'âge mûr, toujours escortée par deux jeunes garçons. Tenn écrit à Donald :

« Il y a une formidable nouvelle à écrire, pour toi ou Christopher [Isherwood], dans cet endroit, surtout à propos de la femme sur le matelas près du parc à tomates [...] qui lape la vie avec la langue d'un taureau femelle. »

Lorsque Tennessee propose un sujet à un ami, cela signifie qu'il ne tardera pas à le traiter lui-même. Il écrit le personnage de Maxine Faulk, dans *La Nuit de l'iguane* et une nouvelle : *Le Matelas près du parc à tomates* qui raconte l'histoire d'une logeuse, à Santa Monica, pendant l'été de 1943.

Tennessee apprend qu'un metteur en scène du Texas, Margo Jones, voudrait monter *Battle of Angels* et *You Touched Me* ! Il reçoit une très gentille lettre de son futur éditeur, James Laughlin. On s'intéresse à lui, il reprend peu à peu confiance. En juin, pourtant, il a des problèmes de santé : une sinusite tenace lui donne de violentes migraines. Dans ses lettres, Tenn propose à Donald et à son ami Sandy Campbell de le rejoindre en Californie. Il insiste à plusieurs reprises. Quand les deux garçons lui annoncent enfin leur arrivée prochaine, il se met à leur envoyer des lettres dissuasives du genre : « Je ne sais pas si c'est une excellente idée de quitter New York, finalement... Il n'y a pas de travail intéressant ici... Je n'ai pas assez d'argent pour vous aider, etc. » Attitude typique du personnage. Il prenait plaisir à écrire des lettres d'invitation, sans imaginer un seul instant qu'elles puissent être acceptées. Ce n'était ni par égoïsme ni par lâcheté ; il craignait simplement de ne pas être à la hauteur de ses promesses. Il avait peur de décevoir et d'être déçu.

Pour l'été, Tennessee et sa grand-mère ont offert à Rose un séjour dans une maison de repos, en Caroline du Nord. Il écrit à Donald que c'est la première fois qu'il est capable de faire quelque chose pour sa famille et que « c'est évidemment une grande satisfaction ».

À trente-deux ans, il a des rapports difficiles avec l'argent. Il est impatient d'en gagner, se plaint de ne pas en avoir, mais propose d'en prêter à tout le monde.

La MGM refuse *The Gentleman Caller*, sous prétexte qu'elle a déjà fait *Autant en emporte le vent* et qu'elle ne veut plus produire de film sudiste pendant au moins dix ans. Tenn, vexé et déçu, ne met plus les pieds aux studios. Le 9 août, son contrat est rompu. La paresse le gagne, il cesse presque d'écrire.

Et pourtant, il traverse une période optimiste. Il sent qu'il n'a plus longtemps à attendre. Il écrit à Donald :

« Tout a l'air bon pour moi... Malgré une damnation première, je suis incorrigiblement chanceux [...] J'ai l'habitude de me sentir plus ou moins damné, mais d'une damnation pure... »

Pendant tout l'été, Tennessee et Donald se disputent épistolairement la paternité de *You Touched Me*. Tenn explique à Donnie qu'il a mis son cœur dans l'écriture de la pièce et que forcément, ça le gêne d'accepter un autre nom à côté du sien. Il lui propose de garder la moitié des droits d'auteur, par « amitié », mais de lui laisser l'entier bénéfice du succès, si succès il y a. Tennessee a l'honnêteté d'exprimer son orgueil et la naïveté de croire que son ami comprendra. En juillet 1955, dans une lettre au critique de théâtre britannique Kenneth Tynan, il écrira :

« J'ai perdu beaucoup d'amis depuis 1946. Certains d'entre eux ont été choqués parce qu'ils n'ont pas su ou n'ont pas compris pourquoi j'avais limité ma vie, socialement, émotionnellement, jusqu'à ses présentes limites. Je devais, je le sentais, concentrer tout ce que j'avais sur l'unique chose importante qui était mon travail, et, bêtement, j'ai cru qu'ils comprendraient cette nécessité. »

À travers la lecture des commentaires de Donald Windham sur les lettres que lui envoyait Tennessee Williams, on découvre la jalousie profonde que ressentait le premier à l'égard du second. Plus que de la jalousie : un sentiment amer d'injustice et de vengeance mêlées. En publiant ces lettres sous couvert de fidélité à son amitié passée, Windham en profite pour régler ses comptes en soulignant tous les « compromis » que Tennessee aurait faits pour réussir, au contraire de lui, qui aurait su rester pur. Était-il le plus intègre des deux ? La question reste en suspens.

Quoi qu'il en soit, il était le plus prévoyant. En conservant toutes les lettres de son ami, la moindre note griffonnée, la plus petite carte postale, le tout méticuleusement archivé, il a réalisé un cas superbe, mais non pas isolé, de règlement de comptes avec préméditation.

La première de *You Touched Me !* a lieu à Cleveland (Ohio), le 13 octobre 1943, sous la direction de Margo Jones. La critique est plutôt bonne. Tennessee ne se rend pas à la représentation. Donald y va seul. La pièce sera reprise à Broadway en 1945, avec Montgomery Clift dans le rôle d'Hadrian.

À l'automne, Tennessee apprend que son père est à Los Angeles. Il est effrayé à l'idée de le voir. Il fait néanmoins un effort pour le rencontrer et, contre toute attente, ils ont leur première vraie conversation. Cornelius se confie à son fils. Il lui avoue qu'il a été esclave de l'alcool toute sa vie, que l'alcoolisme est une particularité des mâles de la famille Williams. Tenn écrit à Donald :

« Quel tragique gâchis que ces familles bourgeoises ! Même nous qui ne nous adaptons nulle part sommes plus heureux [...]. Ce vieil homme [...] considéré avec horreur par sa famille a probablement goûté plus d'amertume que je ne pourrais l'imaginer. »

Tennessee traverse sa période communiste et altruiste. Il se fait l'ami des vagabonds qui dorment sur la plage de Santa Monica et lit Yung. Il se sent fort et décidé : il gagnera suffisamment d'argent pour « construire une vie libre » et aider sa famille.

En décembre, il prend la route de Saint Louis. Il s'arrête à Taos pour rendre visite à Frieda Lawrence, qui vit maintenant avec un Italien et tient une boutique de poteries. Tenn est dans sa famille pour Noël. Tandis que son frère Dakin se prépare à partir en Chine avec l'armée, le 6 janvier 1944, Rosina Otte succombe à une hémorragie pulmonaire.

Un an auparavant, au chevet de sa grand-mère, il avait écrit une nouvelle qui lui rendait hommage : *L'Ange dans l'alcôve.*

L'Ange dans l'alcôve (The Angel in the Alcove) raconte l'histoire d'un jeune homme qui vit dans une petite mansarde à la Nouvelle-Orléans. Sous la fenêtre en alcôve, un banc. Sur ce banc, parfois, la nuit, une « délicate et mélancolique silhouette vient s'asseoir. [...] Ses yeux fixaient sur moi un regard simple et doux, qui me rappelait celui de ma grand-mère lorsqu'elle était malade et que j'allais la voir dans sa chambre. Je m'asseyais auprès de son lit, m'efforçant de ne rien dire et me retenant même de poser ma main sur les siennes comme j'aurais aimé le faire, car je savais que j'allais éclater en sanglots et que mes larmes lui feraient beaucoup plus de mal que sa maladie elle-même. »

Une nuit, l'ange n'apparaît plus. Le Narrateur s'en va.

« Si jamais elle devait me rendre visite encore, ce serait dans un autre lieu et à un autre moment de ma vie, qui n'est pas encore venu. »

L'oiseau s'envole

Tennessee n'assiste pas aux funérailles : ce jour-là, il se fait opérer pour la troisième fois de l'œil gauche à l'hôpital de Saint Louis.

Il reste avec sa mère jusqu'au printemps de 1944, prend de nouveaux somnifères (Nembutal) qui lui donnent la sensation d'« être un nénuphar sur un bayou de Louisiane un après-midi d'été » et écrit deux nouvelles : *Oriflamme* et *La Vigne*.

Oriflamme raconte l'histoire d'une jeune femme de vingt-huit ans, Anna Kimball, qui a vécu jusqu'à présent une « existence souterraine », son cœur « contraint à porter un uniforme ». « Il valait mieux dissimuler ses élans pour que nul ne puisse les atteindre et les rabaisser à son niveau », pensait-elle. Mais elle décide de changer : « Il lui apparut que la révolution, pour elle, devait commencer par s'habiller de couleurs vives. » À La Mode de Paris, boutique de luxe de Saint Louis, « cette ville qui ne lui avait jamais plu », Anna achète une superbe robe de soie rouge. Exaltée et fébrile, elle traverse la ville : « Son corps bondit *en avant, en avant...* Un navire amiral, avec des canons. Boum. Sur l'horizon lointain. Boum. »

La Vigne (The Vine) raconte l'histoire de Donald, comédien vieillissant, qui vit dans la terreur de la solitude. Il « ne parvenait jamais à imaginer la vie des gens seuls [...] Comment ces gens-là se levaient-ils le matin ? [...] Aller se coucher seul ! Avoir, d'un côté, le mur et, de l'autre, un espace vide, aucune autre chaleur que la sienne propre [...] Il n'y avait pas à s'étonner que ces gens qui menaient une vie de solitude aussi obscène fissent à jeun des choses que les autres ne feraient qu'ivres morts. »

La Ménagerie de verre

Donald, lui, vit avec Rachel :

« Il prenait son corps presque comme un enfant prend le sein de sa mère, avec un geste de possession aveugle, instinctive, apeurée, qui s'affirmait à peine dans son sommeil : c'est ainsi que les plantes croissent au soleil avec cette reconnaissance douce et instinctive que les matières vivantes témoignent à ce qui les maintient en vie. »

Un matin, Donald se réveille et Rachel n'est plus là.

La solitude est un thème récurrent dans l'œuvre de Tennessee Williams :

« Nous sommes tous condamnés à la réclusion solitaire à l'intérieur de notre peau [1]. »

Tous ses personnages sont enfermés dans un univers intérieur très prégnant qui les empêche de communiquer. Ils doivent crier, se débattre pour se faire entendre. Ils sont au bord de l'asphyxie et la main qui les étrangle n'est autre que la leur. Tous supplient qu'on les délivre et c'est une prière qui ne s'adresse qu'à eux-mêmes.

À la fin de mars, Tennessee retourne à New York pour apprendre que son ancien petit ami, Kip Kierman, se meurt d'un cancer du cerveau à l'âge de vingt-cinq ans dans un hôpital de Manhattan. Kip réclame « Tenny Williams » et Tenn accourt aussitôt. En avril, il loue une maison à Ocean Beach sur Fire Island. Il reçoit, à la fin du mois, un chèque de mille dollars de l'American Academy of Arts and Letters, pour *Battle of Angels*.

---

1. Propos attribués à Val, dans *La Descente d'Orphée*.

Il gagne Provincetown et reste, jusqu'en octobre, au Captain Jack's Wharf. Le 17, l'acteur-producteur-metteur en scène Eddie Dowling, annonce qu'il a décidé de monter au Theater Civic de Chicago (Illinois) *The Gentleman Caller*, intitulé désormais *La Ménagerie de verre*. Avant que les répétitions commencent, Tennessee descend à Saint Louis.

En novembre, Eddie Dowling et Margo Jones (appelée par Tennessee) dirigent les répétitions à New York. Tenn, échaudé par l'expérience de *Battle of Angels*, reste à Saint Louis. À la fin du mois, il est interviewé par William Inge qui deviendra son ami.

Le 16 décembre, la compagnie part pour Chicago. Tenn les y rejoint. Les répétitions sont marquées par les apparitions « imbibées » de l'actrice Laurette Taylor, ivre vingt-quatre heures sur vingt-quatre. Tennessee écrit à Donald :

« Tout le monde fait des déclarations d'amour alcooliques à tout le monde. Une telle convivialité, intense et sans discrimination, m'a toujours tapé sur les nerfs. »

Le 26 décembre 1944, *La Ménagerie de verre* est donnée, pour la première fois, devant une toute petite salle. Le 27, les producteurs sont sur le point de rédiger une note pour interrompre les représentations. Audrey Wood leur téléphone en catastrophe pour leur lire deux courtes critiques excellentes : une de Claudia Cassidy[1] dans le *Chicago Daily Tribune* et une d'Asthon Stevens, dans le *Herald American*.

Le 28 décembre, sous les yeux d'un public ébahi,

---

1. Dans la nouvelle *La Vigne* (1944), Tenn fait allusion à « l'incorruptible justice de Claudia Cassidy à Chicago ».

La Ménagerie de verre

Laurette Taylor contribue au génie de la pièce en interprétant de façon éblouissante le rôle d'Amanda Wingfield. Pour la première et dernière fois de sa carrière, Tennessee Williams fut non pas exécuté, mais sauvé par la critique. À la mi-janvier 1945, la salle est comble tous les soirs.

Le 2 mars, Tennessee écrit à sa mère pour lui annoncer qu'il lui cède la moitié de ses droits d'auteur sur la pièce. Jusqu'à la fin de sa vie, Edwina ne manquera plus jamais de rien. La pièce qu'elle a, à son insu et sans l'admettre, inspirée, lui rapportera des revenus considérables qui lui permettront d'obtenir ce dont elle rêve depuis si longtemps : son indépendance par rapport à Cornelius.

Le 26, Tennessee fête ses trente-quatre ans avec la compagnie qui part pour New York. Le 31, la première a lieu au Playhouse Theater. *La Ménagerie de verre* fait un triomphe. Brooks Atkinson écrit dans le *New York Times* : « À compter de cette soirée, le théâtre américain ne sera plus le même. »

Si tout l'œuvre de Tennessee Williams est autobiographique, *La Ménagerie de verre* l'est plus encore.

« Toute œuvre sérieuse est autobiographique disait-il [...] Tout ce qu'un écrivain produit est son histoire intérieure, transposée dans un autre temps. Je suis plus personnel dans mon écriture que d'autres, et ça peut se retourner contre moi. »

En 1945, la gloire marche avec lui.

La Ménagerie de verre (The Glass Menagerie) est une pièce en un acte à quatre personnages : Amanda Wingfield (la mère), Laura Wingfield (sa fille), Tom Wingfield (son fils) et Jim O'Connor (le « gentleman caller »).

« L'action est un souvenir et n'a par conséquent rien de réel. »

Le décor : un deux-pièces dans un immeuble situé dans un quartier de Saint Louis « où vivent pêle-mêle ouvriers et petits-bourgeois ». Dans le salon : un vieux phono et une collection de petits animaux en verre transparent. Au mur : un agrandissement de la photo du père absent.

L'environnement social : l'entre-deux-guerres, avant la crise et la prohibition, la grande époque du jazz, du swing, des dancings et du cinéma.

Tom, le fils, est aussi le récitant. C'est lui qui se souvient. La pièce est sa mémoire. Amanda/Edwina, elle aussi se souvient des dimanches à Roche-Bleue, lorsqu'elle était jeune et libre, brillante et légère au milieu de tous ses « galants » :

« Parfois, on manquait de chaises tellement ils étaient nombreux. Il fallait envoyer le nègre chercher des pliants au presbytère. [...] Parmi eux, il y avait quelques-uns des jeunes planteurs les plus en vue du delta du Mississippi [...] et naturellement j'étais persuadée que je me marierais avec l'un d'entre eux et que j'élèverais mes enfants dans nos vastes domaines, entourée d'une domesticité nombreuse. »

Laura/Rose, elle, n'a pas un seul chevalier servant. Pas de « gentleman caller », juste une centaine de petits animaux en verre pour la distraire. Mais Amanda ne l'entend pas de la sorte et « ... le fantôme du soupirant hanta notre petit appartement », comme l'espoir hante le cœur des impatients.

Tom, lui, n'a qu'une idée en tête : s'enfuir. Quitter son emploi à l'entrepôt et écrire. En attendant, il sort tous les soirs et quand sa mère l'accuse, il se défend :

« Oh, je sais, je sais, à tes yeux cela a si peu d'importance, n'est-ce pas, ce petit décalage entre ce que *je fais* et ce que j'ai *envie de faire.* »

Amanda le culpabilise aussitôt :

« Dès que ta sœur aura quelqu'un capable de prendre soin d'elle, dès qu'elle sera mariée, indépendante, qu'elle aura un foyer, alors tu seras libre d'aller où cela te chantera, sur terre, sur mer, comme le vent te poussera. Mais en attendant, tu te dois de veiller sur ta sœur. »

Tom invite Jim à dîner. Amanda s'affaire pour le recevoir. Laura reconnaît en Jim l'adolescent qu'elle a aimé, le seul, une année, sur les bancs du collège. Jim était très gentil, il l'appelait « bengali ». Amanda exulte, pleine d'espoir.

Laura se détend, ouvre son cœur, se surprend même à danser avec Jim. Mais le maladroit jeune homme se cogne à la table sur laquelle est posé l'animal en verre préféré de Laura, une licorne. Le bibelot tombe, la corne se brise :

« Il est cassé ? demande Jim.

— Non, répond Laura, il est devenu comme les autres chevaux [...] je m'imaginerai qu'il a subi une opération. Qu'on lui a enlevé sa corne pour qu'il n'ait plus l'impression d'être un phénomène...[1] »

---

1. La licorne, animal mythique doté d'une corne sur le front tel un énorme sexe protubérant, a été « opérée ». Elle redevient normale, elle a perdu sa corne. Rose, avant sa lobotomie, était une jeune fille « aux grands besoins sexuels », selon l'expression du vieux médecin de la famille Williams, le Dr Alexander. L'opération l'a castrée.

Les deux jeunes gens s'embrassent. Aussitôt, Jim se rend compte qu'il vient de commettre une erreur. Il avoue à Laura qu'il est amoureux d'une autre fille et qu'il va se marier. Laura est bouleversée : trop d'émotions en une soirée. Amanda est effondrée. Tom s'en va sur la pointe des pieds. Sa mère l'accuse :

« C'est ça ! maintenant que, grâce à toi, nous nous sommes ridiculisées, tu vas au cinéma. Tous nos efforts, tous les préparatifs, tous les frais. Le nouveau lampadaire, la carpette, la robe de Laura. Et tout cela pour quoi ? Pour recevoir le fiancé d'une autre fille. Va au cinéma, ne t'inquiète pas de nous, de ta mère abandonnée, de ta sœur infirme, sans mari, sans travail. Que rien ne vienne troubler ton plaisir égoïste, surtout. Va, va, va au cinéma. »

*

Thomas Lanier Williams à l'université.(D.R.)

La rue du jazz et de l'alcool dans le Vieux Carré à la Nouvelle-Orléans.

Tennessee adorait le quartier français de la Nouvelle-Orléans.

Tennessee Williams, au bord de sa piscine à Key West.© Jill Krementz

Dans le quartier français à la Nouvelle-Orléans.

Tennessee Williams et Anna Magnani.(D.R.)

Le Monkey bar de l'Elysée hotel à New-York.
Tennessee s'était assis là dans la nuit du 24 février 1983...

La maison de Duncan street à Key West

Le Calvary cemetery, Saint-Louis, Missouri.

Quatrième partie

L'oiseau couronné
(1945-1964)

Un tramway nommé Désir
1947

Tennessee Williams est devenu un auteur célèbre et convoité. *La Ménagerie de verre* est comparée par les critiques à l'œuvre d'Anton Tchekhov. Le New York Drama Critics' Circle la consacre meilleure pièce de l'année. Elle gagne le prix du Sidney Howard Memorial, celui du Donaldson sponsorisé par le Bilboard et le prix du magazine *National Catholic*. En avril 1945, Tennessee donne sa première interview scandale à un journaliste du *New York Times* en affirmant qu'il est égoïste dans le choix de ses amis et préfère les gens qui peuvent lui être utiles d'une manière ou d'une autre ; propos qui déplaisent aussitôt, au grand étonnement de Tenn, adepte d'une sincérité totale.

En mai, il subit sa quatrième opération de l'œil gauche, puis part pour le Mexique. Il descend dans un hôtel de luxe au bord du lac Chapala, à cent quatre-vingts kilomètres de Guadalajara. Il est extrêmement perturbé par le succès qui, du jour au lendemain, a changé l'attitude des autres à son égard. Le succès, il le souhaitait depuis toujours, mais avait renoncé à l'attendre. Il expliquait, en avril 1943, à Donald Windham :

« J'ai le sentiment superstitieux que le succès reste bloqué si on se concentre sur lui et qu'on fait tout pour le provoquer. Il faut créer, mettre de côté, et créer encore. [...] C'est pourquoi il est si mauvais d'être à New York, à attendre que le téléphone sonne, à espérer une lettre ou un article. Le succès est comme une souris timide, il ne sort pas de son trou tant que tu le surveilles. Et tu dois te rappeler qu'il n'est qu'une souris, pas un dieu. »

Le 30 novembre 1947, quatre jours avant la première du *Tramway*, Tennessee publiera un article sous la rubrique Théâtre du *New York Times*, intitulé : « Dans un Tramway nommé succès [1] », dans lequel il raconte comment, après le succès de *La Ménagerie de verre*, tout a changé pour lui. L'endurance et l'énergie qui ne l'avaient jamais quitté furent englouties par une reconnaissance trop soudaine. Ce n'est que dans son travail qu'un artiste peut trouver réalité et satisfaction, écrit-il. « La vraie vie » est fade, à moins de la mettre en désordre. Le succès et la sécurité sont des visages de la mort...

Au Mexique, il écrit un poème en hommage aux deux Rose de sa vie : sa sœur et sa grand-mère. *Recuerdo* se termine par ces mots :

« Ma sœur était en tout plus rapide que moi. » Le poème porte en lui une signification douloureuse : Rose est dans un état qu'il atteindra lui aussi, en retard par rapport à elle. Rose et Thomas sont

---

1. Une autre version intitulée « La Catastrophe du succès » est parfois utilisée comme introduction à *La Ménagerie de verre*.

marqués par la même fatalité. Elle est la sœur aînée, l'exemple, le modèle. Il veut la rejoindre et lui ressemble un peu plus chaque jour.

Au Mexique toujours, Tennessee rencontre Leonard Bernstein et se découvre une passion pour les corridas. Mais, surtout, il travaille à un projet de pièce nommée *Blanche's Chair in The Moon*, puis *The Poker Night* (qui deviendra la scène 3 de l'acte I du *Tramway*, mais n'est, pour l'instant, qu'une scène autour d'une partie de poker, rude et vulgaire, à laquelle assistent deux jeunes femmes délicates et distinguées du Sud).

De retour aux États-Unis, à la frontière américano-mexicaine, Tennessee est fouillé par les douaniers. Il réagit violemment et se met à hurler, accusant les agents d'avoir égaré le manuscrit d'une nouvelle inédite [1]. Panique à la douane. Tennessee, hystérique, est sur le point de se faire embarquer. Après avoir insulté ciel et terre, tout penaud, il retrouve le texte dans le coffre de sa voiture, sous un tas de chemises sales. L'incident clos, il continue sur Dallas où l'attend Margo Jones, surnommée à cause de ses "coups de gueule" célèbres, « la Tornade du Texas ».

Au cours de l'été de 1945, Tennessee Williams écrit deux nouvelles : *Les Cochenilles* et *Malédiction*.

Le 25 décembre 1945, *You Touched Me !* démarre au Booth Theater de New York, avec Monty Clift dans le rôle d'Hadrian. Les critiques sont partagés, mais, dans l'ensemble, jugent la pièce nettement inférieure

---

1. Il s'agissait du *Boxeur manchot*.

Dans *Les Cochenilles* (Tent Worms) Billy, qui ressemble comme un frère au Billy de *Two on a Party*, va mourir : « Un homme dans sa jeunesse, c'est un endroit loué pour l'été », murmure-t-il, désespéré. La fuite du temps ressentie comme une perte est particulièrement douloureuse pour les homosexuels, souvent victimes de leur désir de séduction et que la dégradation physique atteint plus particulièrement.

Malédiction raconte l'histoire d'un pauvre homme, Lucio, et d'une chatte, Nitchevo. C'est une histoire d'amour :

« Lucio parlait à sa chatte à voix basse. [...] Il lui disait qu'il ne perdrait jamais son travail, qu'elle aurait toujours, soir et matin, une tasse de lait, qu'elle dormirait toujours sur son lit, qu'il ne leur arriverait jamais rien de malheureux et qu'il n'y avait rien à craindre entre le ciel et la terre. »

à *La Ménagerie de verre*. Les représentations s'interrompent le 5 janvier 1946.

Tennessee bouge tout le temps, Audrey Wood ne sait jamais où le joindre. Il prétend qu'il écrit mieux quand il vient d'arriver dans un nouveau lieu. Paul Bowles témoigne : « Il était plus impatient de partir de là où il était que d'aller dans un autre endroit[1]. » William Inge ajoute : « Tennessee Williams est très agité, il a besoin de la distraction que lui procure le voyage[2]. » Quant à Elia Kazan, il écrit : « Tennessee Williams, à ma grande tristesse, se perdait à faire la navette entre tous les endroits chics de la planète.

---

1. *Mémoires d'un nomade.* Quai Voltaire pour la traduction française, 1989.
2. *The Kindness of Strangers, op. cit.*

Un tramway nommé Désir

L'argent que son énorme succès lui avait apporté l'avait conduit à vivre sur un mode qui étouffait son talent. Il aurait bien mieux fait de rester dans son Sud natal, cette partie du monde où il se sentait mal à l'aise, voire indigné, d'être considéré comme un outsider [1]. »

Dans un article, publié le 13 août 1950 dans le *New York Times* et intitulé « A Writer's Quest for a Parnassus », Tenn écrira :

« Écrire est une activité violente. C'est en fait plus violent que n'importe quelle autre profession à laquelle je puisse penser. [...] Les écrivains, quand ils n'écrivent pas, doivent trouver une violence extérieure à la mesure de celle, intérieure, à laquelle ils sont habitués. Il est difficile pour eux de rester longtemps au même endroit pour écrire des livres, et les voyages sont l'équivalent, en gestes, de leur activité intérieure. »

Il écrira aussi, en 1955, à propos de ses insatiables voyages :

« Et moi qui perds mes affaires où que j'aille, qui tremble dans les ~~~ions, qui avale force pilules roses, ~~~ ~~~s dangereux avec des inconnus et ainsi de suite [2]. »

~~~ i, il est à La Nouvelle-Orléans, Le 1er janvier 1946, il prend un ~~~ Orleans Street. Il y écrit le *~ino Real*, qui s'appelle, pour ~~~ on the Camino Real. Un jour,

~Y, 1988. Éditions Grasset pour la traduction

~embre 1955. From *Five O'Clock Angel*, *op. cit.*

alors qu'il aménage avec coquetterie son appartement, Tenn accroche un mobile japonais dans la chambre d'ami. La nuit tombe, il est seul et lit sagement dans son lit. Soudain, le mobile japonais se met à cliqueter. Effrayé, il ne parvient ni à s'endormir ni à se lever. Le lendemain matin, aux premières heures de l'aube, épuisé par une nuit sans sommeil, mais courageux, il décroche le mobile et l'installe juste au-dessus de son lit, pour pouvoir le surveiller.

À la fin de janvier, Tenn prend en charge son grand-père, jusque-là en pension chez sa fille. Miss Edwina ne s'occupe pas de lui ; quant à Cornelius, à la retraite, il joue aux cartes et boit toute la journée. Le révérend, presque aveugle maintenant, s'ennuie et dérange.

Pendant l'hiver à La Nouvelle-Orléans, Tennessee rencontre un jeune homme, Pancho (ou Santo), qui vient s'installer chez lui en février. C'est un jeune Mexicain fougueux, un peu trop porté sur la boisson, qui entre dans des colères violentes lorsqu'une contrariété ou la jalousie le fait souffrir. Il est très amoureux de Tennessee, qui, lui, s'amuse de son comportement extravagant.

Tenn écrit deux pièces en un acte : *Lord Byron's Love Letter*, qui sera adaptée par Raffaello de Banfield, sous la forme d'un opéra, le 18 janvier 1955 à la Tulane University de La Nouvelle-Orléans, et *The Strangest Kind of Romance*, qui rappelle la nouvelle *Malédiction*, et sera produit à Paris, le 20 avril 1960, au théâtre des Champs-Élysées.

Cet hiver-là également, dans les bars de Bourbon Street, Tennessee rencontre le Pr Oliver Evans, qui deviendra l'un de ses meilleurs amis et lui inspirera le personnage de Billy dans *Two on a Party*.

Tennessee prend l'habitude de se servir des gens pour tester des situations dramatiques. Il les invente et les joue dans sa propre vie avant de les écrire et de les faire jouer sur scène [1]. La théorie qu'il applique et qu'il revendique dans son travail est celle de l'exagération. En 1975, Tennessee Williams expliquera à un journaliste :

« Dans une œuvre d'art, il faut concentrer, il faut exagérer, afin de saisir ce qu'il y a de sensationnel dans la réalité, parce que l'art a moins de temps pour le saisir [...] Parfois, on atteint plus facilement la réalité en oubliant le réalisme, parce que lorsqu'on représente les choses en exagérant un peu, on capte plus de ce qui est essentiel dans la vie, plus de vérité, [...] ce que certains ressentent comme une déformation. »

Il reste à La Nouvelle-Orléans jusqu'en avril 1946, date à laquelle il remonte à Saint Louis. À la fin du mois, il tombe malade. Les médecins diagnostiquent une anomalie intestinale congénitale. Il part quand même en voyage dans une vieille Packard achetée à La Nouvelle-Orléans. De violentes douleurs abdominales le tourmentent tout le long de la route et, le 16 mai, il doit se faire opérer au Holy Cross Hospital de Taos. Il en profite pour effrayer sa famille et ses amis en leur téléphonant qu'il a une maladie très grave et qu'il n'en réchappera pas. Sur sa table de chevet à l'hôpital : des

---

1. Clare, dans *The Two Characters Play*, dit à son frère Felice : « Parfois, tu travailles sur une pièce en inventant des situations dans la vie qui correspondent à celles de la pièce... »

livres et des lettres d'Anton Tchekhov. Au même âge que lui (trente-cinq ans), Tchekhov était déjà atteint d'une infection fatale. Tennessee s'identifie *à mort* à lui et, pendant trois ans, il sera intimement convaincu qu'il est condamné.

Tenn passe sa convalescence avec son ami mexicain à Nantucket Island. C'est au cours de cet été de 1946 qu'il rencontre Carson McCullers.

Carson avait vingt-trois en 1940, quand elle publia son premier roman : *Le cœur est un chasseur solitaire.* Six ans plus tard, *Frankie Addams*, le troisième, enchante Tennessee qui l'invite à venir le rejoindre sur l'île. Elle accourt aussitôt.

C'est une jeune femme malade, égocentrique et jalouse des autres écrivains. Gore Vidal la trouve « vaniteuse, geignarde et géniale ». Elle est née dans le sud des États-Unis, en Géorgie, le 17 février 1917. Elle a aimé un seul homme (qu'elle a épousé deux fois) et plusieurs femmes. Elle a un physique androgyne, très maigre, avec des joues rondes qui tombent. Maria Saint Just, qui n'en rate pas une, la surnomme « Choppers » (côtelettes). Elle aime *L'Invitation au voyage* de Duparc et les poèmes de Hart Crane. Entre elle et Tennessee, c'est, évidemment, le coup de foudre. Ils nagent ensemble, font le tour de l'île à bicyclette et se lisent mutuellement leur travail. Tenn incite Carson à écrire une adaptation pour le théâtre de *Frankie Addams*. Et Pancho est jaloux.

À la fin de juin, Reeves McCullers, l'époux suicidaire, ancien militaire et écrivain contrarié, la rejoint. Ils rentrent chez eux à Nyack, dans l'État de New York. Avant leur départ, Tennessee offre à Carson une bague ayant appartenu à sa sœur Rose. Il appelle son amie sa « sister-woman » et voudrait faire pour elle ce qui est désormais inutile pour la pauvre Rose Isabel :

« Choppers a connu tant de drames dans sa vie qu'on finit par paniquer et opter pour l'indifférence, comme si elle était damnée sans espoir et qu'on ne puisse pas supporter d'y penser : c'est ce que je ressens pour ma sœur [1]. »

L'année suivante, en 1947, Carson s'installe avec Reeves à Bachivillers, un petit village dans le Vexin français. En décembre, elle a une grave attaque, la troisième en six ans. Reeves se suicidera en 1953, dans une chambre d'hôtel à Paris, après que Carson l'aura quitté pour retourner aux États-Unis. Elle meurt le 29 septembre 1967, des suites d'une hémorragie cérébrale, à l'âge de cinquante ans.

Tennessee écrira en 1950, pour *New Directions*, la préface d'une nouvelle édition de *Reflets dans un œil d'or* (publiés pour la première fois en 1941) et en 1961, un article intitulé « Biography of Carson McCullers », publié par le *Saturday Review of Literature*.

À l'automne de 1946, Tennessee retourne à La Nouvelle-Orléans, où il loue un bel appartement sur Saint Peter Street. À quelques rues de là, dans le Vieux Carré, deux tramways font des va-et-vient permanents : l'un se nomme Désir et l'autre Cimetière.

Tennessee apprend avec tristesse la mort de Laurette Taylor, décédée d'un cancer à l'âge de soixante-

---

1. Lettre à Maria Saint-Just.

LETTRES DE CARSON MCCULLERS À TENNESSEE WILLIAMS [1]

Le 15 février 1948, jour de la Saint-Valentin

Tenn si cher,

Votre lettre de Naples m'arrive à l'instant. J'ai été sur le point de pleurer en apprenant que vous n'aviez pas encore reçu la mienne... (...) Tenn, pour l'avenir, laissez-moi rêver à une maison où nous vivrions ensemble. Croyez-vous que ce soit possible ? (...) Oh ! cher Tenn, c'est tellement réconfortant de penser à vous, à toutes les épreuves dont vous avez su triompher... (...) Je suis encore très malade. La douleur ne me fait pratiquement jamais grâce. Penser à vous dans ces moments-là représente beaucoup plus que vous ne pouvez l'imaginer.

Je vous embrasse,

Carson

Fin janvier 1949

Très cher Tenn,

J'ai tant de choses à vous écrire : je suis restée si longtemps sans adresse de vous ! Je voudrais tellement avoir de vos nouvelles − en détails. Rome est actuellement la ville qu'il vous faut, je le sais. [...] Par grâce, donnez-moi des nouvelles de votre santé. Tremblements, ça ressemble à quelque chose que j'ai

---

1. Extraits de la revue *Masques*, printemps 1984. Traduction de Jacques Tournier.

toujours eu. Soyez plus précis, parce que je suis vraiment inquiète. Êtes-vous confortablement logé ? Pouvez-vous nager ? [...]

Je pense à vous chaque jour, longuement. Sachez que ma tendresse et mon affection sont toujours avec vous.

Carson

Juin 1949

Precious Tenn,

Ainsi, vous rentrez ! Oh ! cher Tenn, pouvez-vous comprendre ce que ça représente pour moi ? Je ne peux pas vous dire à quel point cette année a été difficile. Ma santé a empiré de jour en jour. C'est à peine si je peux faire le tour de l'immeuble à pied, je ne peux plus jouer du piano, bien sûr, ni taper à la machine. Je n'ai pas le droit de fumer, ni, hélas ! de boire. [...]

J'ai un tel besoin de vous voir, cher Tenn ! Je suis couchée depuis neuf heures ce matin. J'attends le médecin.

Je vous embrasse.

Carson.

deux ans, quatre mois à peine après la dernière représentation de *La Ménagerie de verre*. Le révérend Dakin vient rendre visite à son petit-fils en janvier 1947. Leurs relations sont excellentes. Ils partent ensemble (avec Pancho) à Key West et descendent au Concha Hotel. Tennessee éprouve des difficultés à

Il y avait quelque chose en lui (Something about Him) trace le portrait d'Haskell, un jeune commis d'épicerie gentil et souriant. Malgré sa douceur, il y a « quelque chose en lui » que les gens n'aiment pas sans pouvoir dire pourquoi. Il perd son emploi, quitte la ville, au grand désarroi de Miss Rose, la bibliothé-caire.

L'Oiseau jaune (The Yellow Bird) annonce déjà *Été et fumée*. Alma est la fille d'un pasteur protes-tant, Increase Tutwiler, ancêtre de Goody Tutwiler « accusée par le Cercle des filles, groupe de jeunes femmes hystériques », de sorcellerie :

« L'une d'elles avait affirmé que Goody Tutwiler leur était apparue accompagnée d'un oiseau jaune, qu'elle désignait du nom de Bobo, et qu'elle était assermentée par le Diable pour lui servir d'intermé-diaire. »

Le pasteur Increase Tutwiler est « obsédé par l'idée qu'Alma peut se mettre à fumer. C'était, pour lui, le premier pas, le pas irréparable, sur la voie de la perdition ».

Évidemment, Alma se met à fumer et à sortir avec des garçons. Elle quitte ses parents et va vivre à La Nouvelle-Orléans. Elle y mène une vie dissolue dans le Vieux Carré, tombe enceinte et accouche d'un fils :

« À partir de là, l'histoire prend une étrange tour-nure, qui semblera très désagréable à certains lecteurs qui pouvaient encore espérer qu'elle ne tomberait pas dans le fantastique. »

Portrait d'une Madone (Portrait of a Madona) met en scène la pathétique Miss Lucretia Collins, dont le père « était recteur de l'église Saint-Michel et Saint-Georges, à Glorious Hill, dans le Mississippi ». Elle est à la fois la vieille fille que pourrait devenir Alma

> Winemiller à la fin d'*Été et fumée*, obsédée par un homme dont elle était amoureuse et qui en a épousé une autre, et Blanche Du Bois qui se laisse emmener sans résistance pour un « petit voyage », à la fin d'*Un tramway nommé Désir*.

terminer *The Poker Night*. Il se distrait en écrivant deux nouvelles et une courte pièce en un acte : *Il y avait quelque chose en lui*, *L'Oiseau jaune* et *Portrait d'une Madone*.

À la fin de mars, Tennessee, son grand-père et Pancho rentrent à La Nouvelle-Orléans. En avril, le révérend remonte à Memphis chez des cousins et Tenn va jusqu'à New York pour rencontrer Irene Mayer Selznick, fille du producteur Mayer (de la MGM) et épouse de David O. Selznick (producteur d'*Autant en emporte le vent*). Elle lui annonce qu'elle est intéressée par *The Poker Night*. Ils décident d'un commun accord qu'Elia Kazan mettra en scène la pièce, intitulée désormais *Un tramway nommé Désir*.

En juin, Tenn et Pancho vont se reposer à Provincetown. Tenn recontre Franck Merlo. Celui-ci a vingt-cinq ans. D'origine sicilienne, il est né dans le New Jersey. C'est un ancien marin. Petit, trapu, il possède une mâchoire proéminente qui inspirera à Maria Saint Just, la reine du surnom, le sobriquet de « petit cheval ».

Tennessee part pour la Californie avec Kazan (Gadg) chez Irene Selznick, où ils vont discuter de la distribution du *Tramway*. Ils se mettent d'accord sur les deux premiers rôles : Blanche Du Bois : Jessica

Tandy, et Stanley Kowalski : Marlon Brando. Tenn a la joie et le grand privilège de rencontrer l'une des actrices qu'il admire le plus, Greta Garbo. Il écrit à Donald Windham : « Elle est toujours très belle. Elle boit de la vodka pure et dit qu'elle aimerait faire un autre film dans un rôle ni homme ni femme. »

Tennessee et son ami mexicain sont invités dans des soirées privées et rencontrent tout le gratin hollywoodien. Hormis un petit incident sans gravité (Tenn se casse une dent en mangeant un épi de maïs grillé), leur séjour à Los Angeles se passe dans l'enthousiasme et la bonne humeur. En septembre, ils retournent à Provincetown où Marlon Brando les rejoint pour faire une lecture de son rôle. Tennessee téléphone aussitôt à Audrey Wood et s'exclame : « C'est un Stanley envoyé par Dieu ! »

Tennessee admire Brando qui le lui rend bien. Il dira quelques années plus tard :

« Je n'ai jamais vu autant de talent brut chez un individu. Brando était un homme d'une extraordinaire beauté quand je l'ai rencontré pour la première fois. Il était très naturel et très serviable[1].

Les répétitions du *Tramway* commencent à l'automne de 1947, à New York, sous la direction d'Elia Kazan. Trois avant-premières sont prévues : à New Haven, à Boston et à Philadelphie. Au comble de l'angoisse, Tennessee est persuadé qu'il est mourant et que c'est sa dernière pièce. Il rompt avec Pancho après de multiples scènes de jalousie. Au même moment, Dakin Williams, devenu avocat, rédige le

---

1. *Paris Review.*

contrat de séparation de ses parents. Miss Edwina et Cornelius ne se reverront plus jamais.

La première d'*Un tramway nommé Désir* a lieu le 3 décembre 1947, au Barrymore Theater dans une production d'Irene Selznick et une mise en scène d'Elia Kazan, avec Marlon Brando, Jessica Tandy, Kim Hunter dans le rôle de Stella Kowalski et Karl Malden dans celui d'Harold Mitchell, dit Mitch. Le public applaudit pendant plus d'une demi-heure. C'est un triomphe.

Dans son appartement de la 36e Rue Est, Tennessee organise une soirée en attendant la parution des critiques : elles sont excellentes. La pièce remporte le prix du New York Dramatic Critics' Circle, le prix Pulitzer et le prix Donaldson, première œuvre de l'histoire du théâtre américain à additionner les trois trophées. Tennessee offre l'argent du prix Pulitzer à l'université du Missouri.

À Kazan, qui hésitait encore à monter la pièce quelques mois auparavant, Tennessee avait écrit :

« C'est une tragédie dont le but, très classiquement, est de produire une catharsis à base de pitié et de terreur, et, pour obtenir ce résultat, Blanche doit finalement gagner la compréhension et la compassion du public. Mais tout cela sans présenter Stanley comme un scélérat. C'est une chose (l'incompréhension) et non une personne (Stanley) qui la détruit à la fin [1]. »

Elia Kazan dira, à propos de l'auteur et de son personnage, Blanche Du Bois :

---

1. *Une vie*, Elia Kazan, op. cit.

« J'associe Blanche à Tennessee. Un autre metteur en scène, Luchino Visconti, quand il dirigea la pièce en Italie, appelait l'auteur "Blanche". Cela m'amena à une autre conclusion : Blanche est attirée par l'homme qui va la détruire[1]. »

Et Tennessee d'ajouter son propre commentaire :

« Je crois qu'à la fin elle est brisée. Elle possédait une vraie force personnelle et une vulnérabilité personnelle, qui sont finalement brisées. [...] Pour elle, la seule solution était de partir, de se laisser emmener ou de partir. Elle ne pouvait pas s'adapter à la situation que le monde lui avait imposée. C'était une nature sacrificielle [...] Elle est drôle, très drôle [...] Elle se bat jusqu'au bout. C'est un tigre, et les véritables tigres sont détruits, pas vaincus. »

L'action d'*Un tramway nommé Désir* (A Streetcar Named Desire) se passe dans le Vieux Carré de La Nouvelle-Orléans. On entend de la musique jazz, l'atmosphère est humide et chaude. Le décor : un appartement divisé en deux pièces par un rideau. Blanche Du Bois arrive chez sa sœur, Stella, mariée à une brute d'origine polonaise « survivant de l'âge de pierre », Stanley Kowalski. Il représente l'ouvrier sain, fort, sensuel, simple et ordinaire. Comme souvent dans l'œuvre de Tennessee, les étrangers (Polonais, Italiens, Noirs) sont solides et respirent la santé. Alors que l'aristocratie sudiste ou la haute bourgeoi-

---

1. *Ibid.*

sie américaine sont décadentes, malades mentales, faibles et perverses.

Dans l'acte I, scène 1, Blanche raconte à Stella comment elles ont perdu Belle-Rêve, leur propriété familiale. Comment sont morts les membres de leur famille :

« Ce long convoi vers la tombe [...] Tu arrivais juste à temps pour l'enterrement, Stella !... C'est beau, un enterrement, comparé à la mort. C'est calme, un enterrement [...] Oui ! accuse-moi ! Regarde-moi en pensant que j'ai tout abandonné ! [...] Où étais-tu, toi ? Au lit avec ton Polack ! »

Scène 2, Stanley annonce à Blanche que Stella attend un bébé. Pendant la scène 3 (*The Poker Night*), Blanche rencontre un brave type, ami de Stanley, Harold Mitchell :

Blanche (à Mitch) : « ... est-ce que seuls les gens qui ont... quelque chose ne sont pas ceux qui ont souffert ? [...] Montrez-moi une personne qui n'a pas souffert, je vous dirai que c'est quelqu'un de superficiel. »

Elle lui dit :

« Nous sommes français d'origine. Mes premiers ancêtres américains étaient des Français huguenots. » (Tennessee Williams est le descendant, du côté de son père, de Français huguenots.)

Scène 4, Blanche se révolte contre la sensualité de sa sœur :

« Ce dont tu parles, c'est du désir bestial, simplement du désir, comme le nom de ce vieux tramway... » Ces paroles font écho à Amanda dans *La Ménagerie de verre* qui dit à son fils :

« Ne viens pas me parler d'instinct ! L'instinct est une chose dont il faut se dégager. Qu'il faut laisser aux animaux. Un homme, un chrétien qui a atteint l'âge de raison, ne veut pas de l'instinct. »

Acte II, scène 1, Blanche raconte à Mitch comment, alors qu'elle n'était qu'une toute jeune fille, elle a perdu l'homme qu'elle aimait : un poète délicat et homosexuel, son mari. Elle raconte qu'elle s'est moquée de lui en lui criant sa honte et son dégoût le jour où elle a appris la vérité, et qu'aussitôt après il s'est tiré une balle dans la bouche.

Dans ses explications, une précision qui n'apparaît pas dans la version cinématographique (le mot « homosexuel » n'étant même pas prononcé) : « ... en entrant à l'improviste dans une pièce que je croyais vide, deux personnes étaient là : l'homme que j'avais épousé... et un autre plus âgé... son ami depuis des années. »

Tennessee Williams a tendance à associer l'homosexualité à la décadence masculine. Les femmes à la dérive, elles, sont plutôt nymphomanes ou frigides, dévoreuses d'hommes ou vieilles filles, hystériques et alcooliques. Si Tennessee est du côté des femmes, les portraits qu'il en dresse sont sans complaisance. À travers elles, il s'explique :

Blanche (à Mitch) : « Oui ! Oui ! de la féerie ! C'est ce que je cherche à donner aux autres ! Je veux enjoliver les choses. Je ne dis pas la vérité ! Que je sois damnée si c'est un péché ! »

Dans l'acte III, scène 3 toujours, Blanche découvre que : « La mort... l'antidote, c'est le désir... »

Et quand, scène 4, Stella s'écrie : « Mon Dieu, ma sœur, je n'aurais jamais dû faire ça... », en regardant Blanche s'en aller au bras d'un médecin psychiatre qui l'emmène faire un petit voyage dont elle ne reviendra jamais, le fantôme de Rose, encore une fois, plane au-dessus de la scène. Tennessee, incarné dans Blanche Du Bois, s'inflige, dans une re-création d'un traumatisme vivace, ce que sa sœur a subi. Quand on l'a opérée et enfermée, il était ailleurs, il avait déjà pris le *Tramway nommé Désir* pour s'enfuir, sauvant sa peau mais abandonnant sa sœur. Elle souffrait, elle appelait, comme Blanche, inventant mille histoires pour qu'on l'écoute et qu'on la regarde, mais le désir est plus fort que tout, plus fort que l'amour.

À la fin de la pièce, Blanche Du Bois/Williams tend la main à son destin : « Qui que vous soyez... J'ai toujours dépendu de la gentillesse des étrangers. »

*

Été et fumée
1948

En janvier 1948, Tennessee Williams est à Paris à l'hôtel Lutetia, boulevard Raspail. Il ne se sent pas très bien et se fait hospitaliser à l'Hôpital américain, à Neuilly, persuadé d'avoir au moins une hépatite et une mononucléose. Il en sort quelques jours plus tard avec une bonne grippe.

Paris le déçoit, il a froid. En février, il part pour l'Italie et c'est le coup de foudre. Rome l'enchante. Il prend un appartement via Aurora 45.

En 1948, l'Italie sort à peine de la guerre et du fascisme. Le Duce a été arrêté et fusillé par les patriotes antifascistes en avril 1945. En 1946, après l'abdication de Victor-Emmanuel III et le règne éphémère d'Humbert II, la république a été proclamée après référendum et les démocrates-chrétiens sont au pouvoir.

Tennessee raconte dans ses lettres à Donald Windham la vie qu'il mène à Rome, intense et sensuelle. Son ami le rejoint en avril. Entre-temps, Tenn a fait la connaissance d'un jeune romancier

Été et fumée

américain, Gore Vidal, vingt-trois ans, qui vient de publier *The City and The Pillar* (*Un garçon près de la rivière*), ainsi que d'un auteur à succès, Truman Capote, et d'un jeune étalon italien, Salvatore (qu'il baptisera Raffaello dans ses *Mémoires*). C'est la dolce vita, Tennessee oublie qu'il est mourant et se laisse aller aux délices de la Ville éternelle. En avril 1948, des élections menacent la tranquillité de la communauté américaine qui s'enfuit effrayée par une éventuelle victoire des communistes italiens. Tennessee s'en réjouirait plutôt, il reste à Rome. Il retravaille le manuscrit d'*Été et fumée* et écrit plusieurs nouvelles : *Le poète, Chronique d'une disparition* et *Rubio y Morena.*

Le Poète (The Poet) raconte les derniers jours de la vie d'un vagabond, dont le discours s'adresse aux seuls qui peuvent encore l'écouter : les adolescents. « Les échafaudages du ciel s'élevaient toujours plus haut, et il commença à construire pour eux des escaliers. »

Chronique d'une disparition (Chronicle of a Demise) est un conte loufoque et mystique, qui, dès la première phrase, nous laisse perplexes ou nous amuse :

« Si je n'ai pas répondu jusqu'à maintenant au très grand nombre de lettres des membres de l'Ordre qui me sont parvenues de province et qui demandaient des renseignements sur la disparition de notre sainte, c'est que nous avions toujours gardé, au centre, l'espoir qu'on nous donnerait un signe par lequel nous pourrions croire à sa transfiguration. »

L'oiseau couronné

> *Rubio y Morena* raconte l'histoire d'un écrivain, Kamrowski, qui écrit « comme il avait toujours fait l'amour, avec un sentiment d'appréhension, avec une hâte fiévreuse et aveugle, comme s'il avait craint d'être incapable d'aller jusqu'au bout ».
>
> Kamrowski le blond rencontre une Mexicaine sauvage et sombre. Cette nouvelle est, en partie, la transposition hétérosexuelle de la liaison de Tennessee avec Pancho.

En juin, Margo Jones, qui va mettre en scène *Été et fumée*, débarque à Naples. Tenn la rejoint. Ils partent pour Londres où le metteur en scène et acteur britannique John Gielgud travaille à la production anglaise de *La Ménagerie de verre*, avec Helen Hayes dans le rôle d'Amanda. Le 11, John Gielgud organise une réception à laquelle sont invités Laurence Olivier et sa femme Vivien Leigh, Margo Jones, Tennessee Williams et... Maria Saint Just, qui racontera comment ils se sont rencontrés :

« ... J'ai remarqué un homme petit, assis sur un canapé. Il avait une chaussette bleue à un pied et une rouge à l'autre. [...] Il m'a regardée avec ses yeux bleus, a rougi et m'a demandé : "Par qui avez-vous été élevée ? – Par ma grand-mère", lui ai-je répondu. Il a répliqué, rêveur : "Moi aussi, c'est ma grand-mère qui m'a élevé" [1]. »

Leur amitié durera jusqu'à la mort de Tennessee, en 1983. Qu'elle fût une amitié intime ne fait aucun doute, mais une amitié principale et exclusive, comme

---

1. *Five O' Clock Angel, op. cit.*

le prétend aujourd'hui la principale intéressée, c'est beaucoup moins évident. Tennessee avait pour habitude d'écrire à tout le monde : « Tu es mon meilleur ami, je n'ai que toi, je n'ai envie de voir personne à part toi, etc. » Il collectionnait une série d'uniques amis, qui, chacun de son côté, se croyait le préféré. Ce qu'il disait à Maria, il l'avait déjà dit à Donald, à Carson ou à Jane, et il le dira à Anna, à Oliver ou à Marion. Il avait une telle crainte de ne pas être aimé qu'il se mettait dans une position d'amour obligé : « Tu es celui que je préfère, donc je suis celui que tu préfères. » Il ne s'en cachait pas. Le seul amour de sa vie étant impossible, les autres étaient indifférenciés. Pour Rose seule, il inventait des mots nouveaux.

La relation de Tennessee et de Maria s'éclaire d'une lumière nouvelle sous la plume de Françoise Sagan :

« Tennessee [...] que suivait partout, comme une nurse ultrachic, une certaine comtesse, de la très bonne société britannique, qui s'était éprise de Tennessee et de son talent, de son charme personnel, comme j'imagine Mme von Meck pour Tchaïkovski, mais qui, à la différence de celle-ci, ne quittait pas son auteur d'un pas ; Tennessee riait beaucoup de cette position d'amie très chère, "très chère, mais pas trop chère, tu vois", disait-il, et lui, qui avait toujours distribué ses millions avec gaieté, semblait surpris parfois que sa situation renversée ne fît rire, sincèrement, que lui et moi, à la table[1]. »

Lady Saint Just est restée toute sa vie une doublure qui attendait que l'actrice principale tombât malade.

---

1. *Avec mon meilleur souvenir*. Gallimard, 1984.

L'oiseau couronné

Malgré ses nombreuses relations, son sens de l'humour et sa vitalité, elle ne décrochait que de tout petits rôles au théâtre ou au cinéma, comme celui, muet, de la jeune fille à la poupée lobotomisée au début du film *Soudain l'été dernier*. Son interprétation auprès de Tennessee fut probablement la plus importante de sa carrière, surtout après 1983. Héritière de ses biens, détentrice de sa correspondance et de mystérieux « cahiers noirs » qu'elle publiera peut-être un jour, elle a créé un personnage d'amie fidèle qui veille sur la mémoire du génie disparu. Pour ce rôle-là, elle est la seule en liste. Plus personne ne peut l'en déloger.

En juillet 1948, Tennessee retourne à Paris. Il descend à l'hôtel de l'Université, dans le VIIe arrondissement. Cette fois, il ne fait pas froid et Tenn écrit à Donald que la ville est un enchantement. Il fait la connaissance de Jean Cocteau qui veut le rencontrer pour discuter avec lui de la cession des droits du *Tramway*. Lorsqu'en 1950 Tennessee viendra à Paris assister aux représentations (Arletty (!) jouait le rôle de Blanche), il n'appréciera pas la version de Cocteau :

« Je ne comprends pas pourquoi Jean Cocteau a truffé ma pièce d'autant de gros mots. [...] Je ne crois pas qu'il suffise de placer un Frigidaire dans le décor et de faire parler les personnages comme le public pour donner une impression de vie. L'art, ce n'est pas la photographie. La vie, la vérité ne peuvent être représentées dans leur essence que si on les transforme [1]. »

La première londonienne de *La Ménagerie de verre* a lieu le 28 juillet 1948, au Haymarket Theater,

---

1. *Nouvelles littéraires*, 8 juin 1950. Interview de Jeanine Delpech en présence de Paul Bowles.

L'histoire d'*Été et fumée* (Summer and Smoke) a pour cadre Glorious Hill (Mississippi), au tout début du XXe siècle. Depuis qu'elle est enfant, Alma Winemiller aime John Buchanan.

« Je m'appelle Alma, et Alma veut dire âme en espagnol. »

John devient médecin, comme son père. Il est sensuel, débauché et a très mauvaise réputation. Alma est maniérée, fragile et délicate, prisonnière de son père, un pasteur puritain, et de sa mère, une folle infantile et perverse.

À la fin de l'été, les rôles sont inversés. John, assagi, épouse la jeune Nellie, et Alma découvre que ce qui la brûlait est une flamme de désir qu'elle a l'intention de consumer.

Alma (à John) : « Et maintenant, j'aimerais bien que toi, tu me dises... pourquoi il ne s'est rien passé entre nous ? Pourquoi j'ai échoué ? Pourquoi tu es venu si près... et pourquoi tu t'es arrêté ? »

sous la direction de John Gielgud. Edwina et Dakin Williams débarquent d'Amérique. Audrey Wood les accueille en grande pompe à l'hôtel Savoy. Mais Tennessee n'est pas là. Il est resté à Paris. Il ne viendra pas. Il écrit une lettre d'excuses à Helen Hayes, dans laquelle il se plaint, à la manière du personnage sur lequel il est en train de travailler, Alma Winemiller : « J'ai mes crises !... J'ai le cœur nerveux, vous voyez ? » « Ces pilules agissent vite. Je suis déjà à moitié endormie. Je me sens comme un nénuphar sur une lagune chinoise. » Et, à propos des médicaments : « Ils sont d'une infinie miséricorde [...]. Le n° sur la boîte est le 96814. J'aime à penser que c'est la ligne directe de Dieu. »

Le 4 août, Tennessee rentre à New York pour les répétitions d'*Été et fumée*. Comme Alma, il est de plus en plus dépendant des médicaments qu'il prend. Il a un rythme de vie épuisant qui n'a pas changé depuis qu'il écrivait à Donald, en juillet 1943 :

« ... le café du matin, qui, avec le courrier du matin, constitue le plus chaud et le plus brillant des moments de la journée, celui où sort la plus belle partie de la personnalité... [1] »

Son café, il le prend à l'aube. Noir, fort, sans sucre. À partir de onze heures, il enchaîne avec du gin ou du Martini. À table, il boit du vin rouge. Il ne prend jamais de somnifères avant le début de la matinée et ponctue ses après-midi avec des cocktails de pilules et d'alcool. Le soir, il sort et boit encore. Il ne s'économise pas, se stimule et se grise pour pouvoir continuer à travailler. Tous les moyens sont bons, au risque de se détruire (ce qui le plonge dans une terreur profonde). Mais, philosophe de la fatalité et du plaisir malgré tout, il écrit :

« Je suppose que la vie se termine toujours très mal pour presque tout le monde. Nous avons intérêt à avoir de longs doigts pour attraper tout ce qui passe à notre portée. »

La première new-yorkaise de *Summer and Smoke* a lieu le 6 octobre 1948, au Music Box Theater sous la direction de Margo Jones, avec Margaret Philips dans

---

1. En 1975, il écrira, dans ses *Mémoires* : « Il m'apparaît parfois que j'ai vécu une vie faite de matins et de matins, puisque c'est toujours, puisque ç'a toujours été le matin que je travaille. »

le rôle d'Alma Winemiller. Musique de Paul Bowles. La critique n'est pas très bonne, exception faite de Brooks Atkinson, du *Times* (il s'était déjà manifesté pour *La Ménagerie*), qui considère la pièce comme une œuvre majeure. Le soir de la première, deux invités d'honneur applaudissent à tout rompre : Carson McCullers, à qui la pièce est dédiée, et Franck Merlo, que Tenn a retrouvé par hasard dans les rues de New York.

En novembre, Tennessee va rendre visite à sa mère et à son grand-père, à Saint Louis, Arundel Place. Cornelius est parti depuis longtemps, chez sa sœur, à Knoxville, à l'est du Tennessee, au pied des Appalaches. Pour la première fois depuis dix ans, Tenn va voir sa sœur Rose à Farmington où elle est enfermée. Ils avaient correspondu pendant toutes ces années, mais ne s'étaient jamais revus. Ayant l'illusion d'être plus solide, Tennessee va lui rendre visite avec la ferme intention de la faire sortir, de la prendre en charge et de vivre avec elle « en famille » avec Carson et Franck. Mais Rose a besoin de soins médicaux constants et il n'est pas question qu'on la libère. Tennessee avait rêvé, tel un chevalier revenant vainqueur du combat, fort de sa notoriété et de sa situation matérielle, qu'on lui confierait sa sœur. Il est profondément déçu. Il a attendu tout ce temps en vain. Son espoir diminue et sa tristesse croît.

« Oh, Laura, Laura, j'ai essayé de te laisser derrière moi, mais je suis plus fidèle que je ne voulais l'être[1]. »

En décembre, Tennessee remonte à New York, où

1. *La Ménagerie de verre.*

Franck l'attend. Ils sont amoureux et partent en voyage de noces en Italie, passent par Tanger pour voir les Bowles et descendent dans un hôtel qui ne plaît pas à Tennessee. Il pleut tout le temps et la nourriture rend Tenn malade. Ils séjournent deux semaines à Tanger, une semaine à Fès, prennent le bateau à Casablanca pour Marseille, puis poursuivent en Buick jusqu'à Rome et s'installent en Europe jusqu'à la fin de l'été.

Tenn écrit à Audrey qu'il faut absolument qu'elle fasse changer Rose d'établissement. Il a maintenant assez d'argent pour lui payer une institution plus confortable. Rose quitte Farmington pour Stoney Lodge, Ossining.

C'est à Rome, à trente-huit ans, que Tennessee Williams écrit son premier roman : *Le Printemps romain de Mrs Stone.*

Il s'est inspiré de son ami Eyre de Lannux pour le personnage de Karen Stone, mais, surtout, il a projeté son avenir avec toutes les angoisses de décrépitude physique et d'ennui mortel de ceux qui ont vécu intensément, et dont l'existence s'est vidée presque sans prévenir :

« La dérive ! Entrer dans une pièce sans raison, voilà ce qu'on nomme : dérive. Tout ce que l'on fait sans raison. »

En février 1949, Franck va rendre visite à sa famille en Sicile. En mars, Tenn descend à Naples, puis remonte à Rome. Il « essaie » les lieux les uns après les autres, à la recherche de l'inspiration. En mai, Franck et Tennessee s'envolent pour Londres afin de rencontrer Laurence Olivier qui est sur le point de mettre en

Été et fumée

Le Printemps romain de Mrs Stone (The Roman Spring of Mrs Stone) raconte l'histoire d'une actrice célèbre qui, après avoir abandonné la scène, se retrouve à cinquante ans, riche et seule, dans un appartement romain, entourée de ragazzi qui ne demandent qu'à partager son lit et son argent :

« Elle avait atteint [...] ce stade désenchanté, mais relativement confortable, où l'on sait non seulement ce que l'on désire et ce qu'on est en droit de désirer, mais aussi ce que l'on risque en cédant à ses désirs. »

Mrs Stone se laisse aller, sachant pertinemment où cela va la mener :

« Si la dérive ignore son but, elle sait du moins dans quel sens elle se dirige, et cette direction demeure souvent la seule indication que l'on ait de son but... »

Elle apprend que la seule façon d'« immobiliser la dérive » est de combler le vide de son existence.

scène le *Tramway*. C'est Vivien Leigh qui jouera le rôle de Blanche[1]. Tennessee n'en croit pas ses yeux : Vivien *est* Blanche. Jusqu'à présent, elle n'a interprété aucun rôle qui aurait pu le laisser deviner, mais, dans la vie, elle est extrêmement proche du personnage. Trop, pensent certains. John Gielgud dira qu'elle a fait une erreur en acceptant le rôle de Blanche Du Bois, précipitant ainsi sa fin tragique[2]. Même si la pièce, puis le film ont contribué à sa fragilité extrême, c'est une interprétation sublime

---

1. Tenn et Franck sont invités dans leur magnifique demeure de Buckinghamshire, Notley Abbey, un manoir du XIIIᵉ siècle ayant appartenu à Henri V.
2. Vivien Leigh était de constitution – mentale et physique – très faible. Elle meurt en 1967, à l'âge de cinquante-quatre ans.

qu'elle nous lègue dans le long-métrage tourné par Kazan, en 1951.

De retour à Rome, Tennessee reçoit le script de la version cinématographique de *La Ménagerie de verre*, produite par la Warner, et confiée, pour la mise en scène, à Irving Rapper. Tenn déteste l'adaptation affublée d'un happy end ridicule. En revanche, il rencontre le cinéaste italien Vittorio De Sica qui pourrait bien être intéressé par l'adaptation du *Printemps romain de Mrs Stone* et qui espère que le projet fera sortir Greta Garbo de sa retraite. Finalement, le roman sera adapté en 1961 par José Quintero, avec Warren Beatty dans le rôle de Pablo et... Vivien Leigh dans celui de Mrs Stone.

En septembre, Tennessee et Frankie rentrent à New York où Audrey leur apprend que la Warner a acheté les droits du *Tramway*. Tenn est content : c'est Kazan qui tournera le film.

En novembre, Tennessee loue pour la première fois la maison de Duncan Street, à Key West. Il s'y installe avec Franck et son grand-père. Ils y passent l'hiver. À la fin de l'année 1949, Tennessee Williams est le plus riche et le plus connu des auteurs dramatiques américains. Il a trente-neuf ans. Il écrit à Donald Windham :

« Je suis plus seul et plus perdu que jamais et, pourtant, je connais des centaines de gens nouveaux. Cette lettre a des airs de prière demandant compréhension ou pitié. La première est impossible et la seconde jamais désirée, mais les deux sont pourtant nécessaires. »

*

La Rose tatouée
1951

Tennessee passe tout l'hiver à Key West. Il travaille sur une nouvelle pièce, d'abord intitulée *Stornella* puis *The Eclipse of May 29, 1919*, qui devient rapidement *La Rose tatouée*.

En mai, Tenn et Frankie déposent le révérend Dakin à l'hôtel Gayoso, à Memphis, puis montent à New York rencontrer Cheryl Crawford. Elle est, avec Kazan, un des directeurs de l'Actors Studio, et voudrait produire *La Rose tatouée* qu'Audrey Wood lui a envoyée. Tennessee ne supporte pas New York et, à la fin du mois, il embarque avec Franck et une amie, Jane Smith, sur le paquebot *Île-de-France* en route pour l'Europe.

Au début de juin 1950, ils dînent à Paris avec Anna Magnani et Carson McCullers. Anna découvre avec enthousiasme le rôle principal de *La Rose tatouée* que Tennessee a écrit pour elle. Tenn et Franck la suivent en Italie. D'abord en Sicile, à Taormina, au Belvedere Hotel, puis à Rome où Tennessee loue un appartement via Firenze. Il retravaille *La Rose* en fonction

141

des désirs d'Anna qui veut bien jouer le rôle au cinéma, mais craint de l'interpréter sur scène en langue anglaise. C'est Maureen Stapleton qui créera le rôle de Serafina Delle Rose au théâtre.

Tennessee est sous le charme d'Anna. Elle est de la race de ces Taureaux femelles qui le fascinent tant. Entre eux s'établit un rapport tendre et complice. Dans un article, publié dans *Life* le 3 février 1961 et intitulé « Five Fiery Ladies », Tennessee écrit :

« MAGNANI ! Je mets le nom en capitales avec un point d'exclamation parce que c'est comme ça qu'elle avance. [...] Dans une pièce pleine de gens, elle peut s'asseoir parfaitement immobile et silencieuse, et vous sentez encore la tension atmosphérique de sa présence, ça palpite et vrombit dans l'air comme un fil électrique dénudé sous tension... »

Dans ses *Mémoires*, il décrit Anna comme la femme la plus anticonformiste qu'il ait connue. Elle regardait tous ses interlocuteurs dans les yeux et ne manquait jamais de franchise. Elle avait l'habitude de se lever en début d'après-midi :

« Vers deux heures trente ou trois heures, le téléphone sonnait. Après le rituel "Ciaò Tenn", elle demandait toujours : "Quel est le programme ?" Elle me posait toujours cette question polie, bien que je la soupçonne d'avoir déjà décidé de ce que serait le programme [...] À huit heures, Merlo et moi débarquions chez elle, au dernier étage du palazzo Altieri (près du Panthéon) ; une bonne à l'air affolé nous faisait entrer au salon [...] Nous nous asseyions pour boire en l'attendant, parfois pendant près d'une heure [...] Enfin Anna, brillant d'animation et d'humeur expansive, s'engouffrait dans la pièce. [...] Nous ne demandions jamais où nous allions dîner ; c'était un sujet sur lequel elle avait déjà statué, et son choix se révélait toujours parfait. Les patrons comme les garçons du restaurant l'accueillaient comme une reine [...] Après le café, Anna demandait un gros paquet de restes. »

Alors commençait leur itinéraire de nuit, à visiter tous les lieux où des chats errants et faméliques attendaient qu'Anna les nourrisse. Puis, ils allaient boire un dernier verre via Veneto :

« Anna ne buvait que du vin [...] elle émettait toujours des commentaires désolés sur mon goût pour le whisky. »

La Magnani voyait Tennessee avec les yeux d'une mère :

« Tennessee est comme un enfant : il est innocent comme un bébé et il a un cœur d'or. C'est un homme intelligent avant d'être un intellectuel. Lorsque je suis avec lui, on ne parle jamais de choses cérébrales, on parle de choses normales et de nos affaires[1]. »

En novembre, Tenn et Franck sont de retour aux États-Unis. Ils récupèrent le révérend Dakin à Memphis et vont passer Noël à Key West.

La première de *La Rose tatouée* a lieu le 29 décembre 1950 au Erlanger Theater de Chicago, avec Maureen Stapleton dans le rôle de Serafina et Eli Wallach dans celui d'Alvaro, sous la direction de Daniel Mann. Tennessee Williams ne se déplace pas. La première new-yorkaise démarre le 3 février 1951 au

---

1. *Anna Magnani*, Fabbri editori.

Martin Beck Theater, avec la même distribution. La critique est réservée, mais c'est un succès commercial. *La Rose tatouée* est un hommage au romantisme de Rose Isabel Williams et à la fidélité de Franck Merlo, à qui la pièce est dédiée.

La Rose tatouée (The Rose Tatoo) est une comédie en trois actes, dont l'action se situe dans le sud des États-Unis, entre Mobile et La Nouvelle-Orléans, au bord du golfe du Mexique. Serafina Delle Rose est couturière dans un petit village peuplé de Siciliens. Elle a une fille : Rosa Delle Rose. Dès l'acte I, Serafina perd son mari adoré, Rosario, chauffeur de camion et contrebandier. Elle devient une veuve solitaire et négligée qui vit dans le souvenir de son unique amour.

Un jour, de mauvaises langues lui apprennent que Rosario la trompait. Serafina attend de la Madone un signe, un démenti, quelque chose... Le signe divin apparaît sous les traits d'un jeune Sicilien, Alvaro Mangiacavallo (Alvaro « Mange du cheval », allusion à Frankie), qui a « le corps de Rosario avec une tête de clown ». Il réussit à la séduire, malgré sa maladresse, et Serafina recouvre sa sensualité dans les bras d'un nouveau chauffeur de camion, qui, lui aussi, s'est fait tatouer une rose sur la poitrine.

Un rôle cousu main pour Anna Magnani qui recevra un oscar d'interprétation pour la version cinématographique de 1955.

Au mois de mars, Tennessee, Franck, le révérend, Miss Edwina et Dakin sont à Key West. Après le départ de sa mère et de son frère, Tenn fait venir Rose qui lui a écrit : « Malade comme un chien. Heureux (*sic*) comme un roi. » Il prend une gouvernante qui lui restera fidèle jusqu'à la fin de sa vie : Leoncia McGee, « Sa Majesté noire ».

En mai, Tennessee veut repartir pour l'Europe, au grand désarroi de Franck qui en a assez d'être brimbalé. À la fin du mois, ils sont à Londres et à la mi-juin à Rome, via Aurora 45. Tennessee se dispute avec son ami et gagne tout seul Saint-Tropez. Il a un accident sur la route au volant de sa Jaguar : plus de peur que de mal.

En août, il est à Londres, le 8 septembre, à Copenhague, de nouveau à Londres, puis Stockholm, Paris, Barcelone, Amsterdam, et retour à Rome. Il écrit : *Eccentricities of a Nightingale*, une révision d'*Été et fumée*.

Le 7 novembre 1951, Tenn et Frankie rentrent à New York sur le *Queen Elizabeth*. Ils récupèrent le révérend, vont à Key West pour Noël et à La Nouvelle-Orléans pour fêter la nouvelle année : 1952.

*

Camino Real
1953

À la fin de janvier 1952, Tennessee Williams achève l'énième version de *Camino Real*, pièce commencée en 1946. Il écrit à Maria Saint Just : « Je crois que c'est maintenant une œuvre très intéressante et éminemment esthétique. » Elle est dédiée à Elia Kazan. Tenn voudrait que celui-ci la monte à New York. Mais, sous l'intolérable pression du maccartisme, « Gadg » a dénoncé ses amis communistes d'Hollywood. Son nom devient synonyme de trahison et de lâcheté. Tenn écrit à Maria, à propos de l'affaire Kazan :

« Je ne prends pas parti dans cette affaire, que ce soit d'un côté ou de l'autre, n'étant pas un être politique et la vénalité humaine étant quelque chose à quoi je m'attends et que je pardonne toujours. »

Camino Real rencontre d'énormes difficultés de production. Les gens sont effrayés à l'idée de financer une pièce si « bizarre » et lui demandent sans cesse : « Pourquoi ne récrivez-vous pas une pièce aussi tendre que *La Ménagerie de verre* ? » Tennessee s'éclipse à Key West et, au printemps, fait construire dans sa maison de Duncan Street un studio d'écriture et une piscine. Pendant ce temps-là, *Un tramway nommé Désir* remporte quatre oscars à Hollywood : meilleure actrice, pour Vivien Leigh ; meilleur second rôle masculin, pour Karl Malden ; meilleur second rôle féminin, pour Kim Hunter ; et meilleurs décorateurs, pour Richard Day et George James Hopkins.

Le 24 avril 1952 a lieu la première de la reprise d'*Été et fumée* au Circle in the Square, à New York, avec Geraldine Page dans le rôle d'Alma Winemiller, mise en scène par José Quintero. La pièce remporte un immense succès. Brooks Atkinson écrit un papier dithyrambique dans le *New York Times*.

Le 28 mai, Tennessee Williams et Carson McCullers sont élus membres à vie du National Institute of Arts and Letters.

En juin, Tenn et Frankie partent pour l'Europe. D'abord à Paris, puis à Rome, où ils retrouvent Anna Magnani. Celle-ci voudrait que ce soit Vittorio De Sica ou Luchino Visconti qui réalise *La Rose tatouée*. Bien sûr, Tenn trouve l'idée excellente. Ils passent ensemble tout l'été en Italie. Après une semaine à Londres, les deux amis s'embarquent pour New York sur le *Queen Mary*.

En octobre Tenn achète un chien pour faire plaisir à Franck, le premier d'une longue série de bulls anglais : Mr Moon.

Ils passent la soirée de Halloween chez Jane Bowles qui occupe momentanément un appartement à New York, puis descendent à Key West réveillonner pour

Noël et la nouvelle année avec le révérend et Miss Edwina. La première de *Camino Real* est prévue pour la mi-mars 1953 à New York, avec Eli Wallach dans le rôle de Kilroy et Barbara Baxley dans celui d'Esmeralda. Finalement, c'est Elia Kazan qui travaille à la mise en scène. Quand Barbara avoue à Tenn qu'elle adore le rôle mais qu'elle n'est pas sûre de le comprendre parfaitement, il lui répond : « Chérie, tu n'as pas besoin de le comprendre – tu le joues, c'est tout. »

Tennessee a toujours été très attentif aux créations de ses pièces. Il avait d'excellents rapports avec les comédiens, parfois difficiles avec les metteurs en scène. Il récrivait jusqu'au dernier moment (même après la fin des répétitions), ce qui ne facilitait le travail de personne.

Les avant-premières à New Haven et à Philadelphie sont catastrophiques. Le public est dérouté et la critique agacée. La première new-yorkaise a lieu au National Theater le 19 mars 1953.

Dans l'environnement hystérique du maccartisme, la pièce est accusée d'être antiaméricaine. Même auprès des adorateurs de Tennessee Williams, c'est un échec. Walter Kerr, un critique jusque-là admirateur de son œuvre, note dans le *New York Herald Tribune* que *Camino Real* est « la pire des pièces écrites par le meilleur auteur dramatique de sa génération ».

La pièce est accusée de n'être pas claire, d'être trop abstraite, trop poétique, décousue, cérébrale, symboliste. On lui reproche de ne pas avoir de conclusion. Le seul à la comprendre et à l'apprécier est encore et toujours Brooks Atkinson. *Camino Real* s'interrompt après soixante représentations.

À la fin de mars, Tennessee, effondré, part pour Key West. Il se console dans l'alcool, le Nembutal, le Seconal et se plonge dans la correspondance d'Hart Crane. L'exemple de son idole qui a tant souffert l'encourage. Il révise sa pièce maudite, en vue d'une prochaine publication par *New Directions*.

Dans un article publié par le *New York Times* du dimanche 15 mars 1953, intitulé « Foreward to Camino Real », Tennessee écrit :

« Plus que n'importe quel autre travail que j'ai fait jusqu'à présent, cette pièce m'est apparue comme la construction d'un autre monde, une existence séparée. [...] Mon désir était de donner au public mon propre sens de quelque chose de sauvage et de non restrictif qui coule comme l'eau dans les montagnes, ou les nuages qui changent de forme dans le vent, ou la continuelle dissipation et transformation des images d'un rêve. [...] Je n'ai jamais pensé une seule minute que la pièce pourrait paraître obscure et confuse à qui que ce soit. [...] Mon attitude est intransigeante. Je continue à ne pas être d'accord sur le fait qu'elle a besoin d'une explication. »

On imagine la déception qui a dû être la sienne en constatant que pratiquement personne ne comprenait cette œuvre qui restera jusqu'à la fin de sa vie sa pièce préférée. Ce sont les derniers mots de *Camino Real* qui seront gravés sur sa tombe :

« Les violettes dans la montagne ont brisé les pierres ! »

Dans ses *Mémoires*, Tennessee écrira :

Camino Real se passe dans un pays d'Amérique latine non précisé, « il n'y a pas d'oiseaux dans ce pays, mis à part quelques oiseaux sauvages domestiqués et gardés dans des cages ». Elle met en scène trente-neuf personnages, parmi lesquels : Casanova, le baron de Charlus, Marguerite Gautier, lord Byron, Sancho Pança, don Quichotte et le personnage central, le jeune Kilroy, qui possède encore ce que tous les autres ont perdu : le courage de continuer à vivre, la force de se relever.

La pièce, divisée en seize « blocks », est introduite par un prologue. Le rideau se lève sur un port tropical qui ressemble à Tanger, La Havane, Vera Cruz, Casablanca, Shanghai et La Nouvelle-Orléans réunis ! À gauche de la scène, la partie luxueuse de la rue avec l'hôtel Siete Mares et, à droite, la partie gitane.

Le premier personnage à entrer en scène est don Quichotte de La Manche. Il dit :

« Le bleu est la couleur de la distance ! »

Et le ton est donné.

Camino Real est, comme la vie, « une question sans réponse, mais continuons à croire à la dignité et à l'importance de cette question ».

« En ce qui concerne mon travail, je crois que personne, à l'exception d'Elia Kazan, n'a jamais su à quel point il me tient à cœur, ni avec quel sentiment de désespoir. Kazan seul l'a traité – je devrais dire m'a traité – avec la compréhension nécessaire. »

Quant à Kazan, il pensait : « *Camino Real* est une pièce imparfaite mais très belle, c'est une lettre d'amour à ceux que Williams aimait le plus : les romantiques, ces innocents devenus les victimes de notre civilisation d'affaires. »

Pour échapper à sa retraite douloureuse, Tennessee s'essaie à la mise en scène. Il dirige Margaret Phillips dans une pièce de Donald Windham, *The Starless Air*, au Joanna Albu's Playhouse de Houston (Texas). Le soir de la première, le 13 mai 1953, une violente dispute éclate entre les deux amis. Tenn avait commencé par chasser Donald des répétitions ; celui-ci s'aperçoit qu'il a carrément récrit la pièce. L'expérience s'arrête là, leur amitié aussi. Tennessee ne soutient pas la production qui n'ira pas à New York.

Le 5 juin, il part avec Franck pour l'Italie, rejoindre l'équipe du film de Luchino Visconti *Senso*, pour lequel il doit écrire les dialogues anglais, en collaboration avec Paul Bowles.

*

La Chatte sur un toit brûlant
1955

En juillet 1953, Tennessee Williams et Franck Merlo voyagent en Espagne, en Autriche, en Allemagne et en Italie. Après être allés rendre visite aux Bowles, à Tanger, ils rentrent à New York le 27 octobre à bord de l'*Andrea-Doria*. Ils récupèrent le révérend et descendent à La Nouvelle-Orléans. Tenn écrit quatre nouvelles : *Un événement dans la vie de la veuve Holly, Sucre d'orge, Un homme monte avec ça* et *Le Matelas près du parc à tomates*.

À la mi-janvier 1954, Tenn, Franck et le révérend sont à Key West. Tennessee travaille à un scénario pour Kazan, intitulé successivement : *Hide and Seek, The Wip Master, Mississippi Woman* et enfin *Baby Doll*. En avril, Tenn en a assez de Key West. Il dépose le révérend à Saint Louis et repart pour l'Europe avec Franck. Il écrit une nouvelle, première version d'une pièce à venir, *Le Paradis sur terre*.

La Chatte sur un toit brûlant

Un événement dans la vie de la veuve Holly (The Coming of Something to the Widow Holly) a pour cadre La Nouvelle-Orléans. La veuve Holly loue des chambres dans le Vieux Carré, rue Bourbon. À la suite d'une visite chez A. Rose, un métaphysicien, sa vie, jusque-là parfaitement immobile, bascule dans le fantastique (explosion, fantôme, etc.).

Un homme monte avec ça (Man Bring This up Road) se passe sur la côte italienne, au nord d'Amalfi. Une vieille milliardaire, effrayée par la mort et monstrueusement égoïste, fait des avances à un pique-assiette vaguement poète, Jimmy Dobyne, qui s'est introduit dans sa propriété dans l'espoir de recevoir l'hospitalité. Dans la pièce qui développe cette histoire sous le titre *Le train de l'aube ne s'arrête plus ici*, le poète change de nom et devient Christopher Flanders. En 1963, dix ans plus tard, quand Tennessee reprendra ce texte, il y développera une morbidité pour le moment à peine esquissée.

En juin 1954, Tennessee et Franck sont à Rome avec la Magnani. Le 22 septembre, ils rentrent tous les trois à New York où Anna est accueillie en superstar. Le 3 novembre débute le tournage des extérieurs de *La Rose tatouée* à Key West, dans la maison voisine de celle de Tennessee. Le film est réalisé par l'homme qui avait monté la pièce au théâtre, Daniel Mann, avec Anna Magnani dans le rôle de Serafina et Burt Lancaster dans celui d'Alvaro. Tout le monde gardera un excellent souvenir de ce tournage, auquel participa la population de Key West, ravie de découvrir la Magnani dans toute sa splendeur :

Le Paradis sur terre (Kingdom of Earth). La nouvelle et la pièce portent le même titre et animent les mêmes personnages : Lot, un tubard qui vient d'épouser Myrtle, prostituée dans la nouvelle, artiste de dernier ordre dans la pièce. Le troisième personnage : Chicken dans la pièce, le Narrateur dans la nouvelle, demi-frère de Lot, est soupçonné d'avoir du sang noir. Traité comme un chien depuis sa naissance, il attend avec impatience la mort de son frère malade, afin de récupérer à la fois la maison et la femme de celui-ci. Nous sommes dans le Mississippi, dans le comté des Deux-Rivières, près de Memphis (exactement au même endroit que dans *Été et fumée* et dans *La Descente d'Orphée*). La nouvelle comme la pièce affirment la suprématie de la force et de la santé physique sur toute autre richesse : intellectuelle ou matérielle. Quant au plaisir sexuel : « Ça, bon dieu ! c'est quelque chose ! »

« Avec Daniel Mann [...] nous étions au même diapason, et le résultat n'était pas trop calqué sur le style de Hollywood. Un jour, Mann s'est assis auprès de la caméra et il nous a dit, à moi et à Burt Lancaster : "Et maintenant, allez-y... Montrez-moi ce que vous pouvez faire..." Or un metteur en scène américain pareil est hors du commun. Dans *La Rose tatouée*, j'ai en plus eu la chance de trouver un producteur...[1] »

En janvier 1955, Tenn monte à New York pour discuter avec Kazan de la distribution de sa nouvelle

---

1. *Anna Magnani, op. cit.*. Le producteur était Hal. B. Wallis, pour Paramount.

pièce, dédiée à son agent Audrey Wood : *La Chatte sur un toit brûlant*. Les répétitions commencent le 7 février. Le 14, le révérend Dakin meurt au Barnes Hospital de Saint Louis à l'âge de quatre-vingt-dix-sept ans.

La première new-yorkaise de *La Chatte sur un toit brûlant* a lieu le 24 mars 1955, au Morosco Theater dans une mise en scène d'Elia Kazan, avec Ben Gazzara dans le rôle de Brick Pollitt et Barbara Bel Geddes dans celui de Maggie la Chatte. Burl Ives incarne déjà Big Daddy (comme dans le film de Richard Brooks).

C'est un succès immédiat. La pièce remporte le New York Drama Critics' Circle Award et le prix Pulitzer. C'est l'œuvre de Tennessee Williams qui se jouera le plus longtemps sur scène. Brooks Atkinson la considère comme sa meilleure pièce.

De nombreux critiques ont accusé Tennessee Williams d'être resté trop évasif dans sa description de la relation entre Brick et Skipper. La question à laquelle ils lui reprochent de ne pas avoir répondu est, bien sûr, la suivante : « Brick était-il oui ou non homosexuel ? » Voici ce que répondait Tennessee dans un article du *New York Herald Tribune*, paru le 17 avril 1955 et intitulé « Critic says "evasion", writer says "mystery" » :

« Brick était-il homosexuel ? Probablement pas, je dirais même sûrement pas. [...] Franchement, je ne veux pas que les gens quittent le théâtre Morosco en

L'oiseau couronné

> *La Chatte sur un toit brûlant* (Cat on a Hot Tin Roof) est un drame en trois actes qui se déroule dans une grande plantation du delta du Mississippi pendant les années 50. La famille Pollitt se déchire, apprend dans la douleur à communiquer, jusqu'à, enfin, affronter la vérité.
>
> Big Daddy, le grand-père Pollitt, rentre de l'hôpital : il est atteint d'un cancer inopérable, mais on leur fait croire, à lui et à sa femme, qu'il est sauvé et en bonne santé. Gooper, le fils aîné, et Edith, son épouse, s'affairent pour sa soirée d'anniversaire et se réjouissent à l'idée d'hériter de la plantation. Ils ont tout fait pour : cinq enfants et un sixième en route. Le cadet, Brick, et son épouse, Margaret, dite Maggie la Chatte, n'en ont pas. Ils sont jeunes et beaux, mais Brick repousse sa femme. Il cache un secret. Son meilleur ami, Skipper, s'est suicidé. Il accuse Maggie d'avoir détruit leur amitié. Elle le renvoie à ses responsabilités et s'interroge sur la nature exacte de leur relation. Brick s'enferme dans l'alcool : « Ce petit clic dans ma tête, quand j'ai ma dose de whisky et que rien ne m'atteint plus. »

sachant tout sur les personnages qu'ils ont espionnés cette nuit-là dans une violente interaction... [1] »

Big Daddy s'étonne de l'attitude de son fils, il voudrait lui parler. Mais la communication entre les deux hommes est difficile :

Brick (à Big Daddy) : « Chaque fois que vous me

---

1. Tenn expliquait à Kazan : « Il faudrait toujours laisser dans un personnage dramatique un domaine que l'on ne comprend pas. Il faudrait qu'il y ait chez les personnages humains une région mystérieuse. » *In Kazan par Kazan*, entretiens avec Michel Ciment, éditions Stock, 1973.

demandez de parler avec vous, il ne se passe rien. Vous dites des tas de choses que j'ai l'air d'écouter, enfin, je fais de mon mieux pour prendre cet air-là. C'est impossible, Père, d'échanger quoi que ce soit avec qui que ce soit, et vous le savez bien. [...] Cette conversation va faire comme toutes les autres, toutes ces conversations que nous avons, vous et moi, depuis tant d'années : elle ne mènera à rien, absolument à rien. C'est pénible, vous savez. »

Cornelius Coffin Williams n'a jamais pu communiquer avec son fils aîné, encore moins avec sa fille. Sous prétexte que ses enfants ne correspondaient pas à ce qu'il attendait d'eux, il est resté bloqué, comme un étranger dans un pays dont il ne connaissait pas la langue. Et pourtant, maladroitement, il essayait de guérir Thomas de sa terrible timidité envers lui, en lui prêtant la Studebaker familiale, par exemple, ou en lui proposant une partie de cartes...

Dans *La Chatte*, Tennessee rêve d'un rapprochement avec son père :

À l'acte III, Big Daddy et Brick se rejoignent dans leur aversion pour le mensonge et la dissimulation. Même s'il est trop tard, ils finiront par se comprendre, et, avant que Big Daddy meure, Maggie et Brick lui offrent son plus beau cadeau d'anniversaire en annonçant, par anticipation (ce qui n'est pas un mensonge, mais la vérité dite au bon moment) qu'ils attendent un enfant.

Malgré l'immense succès de la pièce et, plus tard, du film de Richard Brooks, Tennessee n'est pas content du résultat. Il n'a pas aimé la mise en scène théâtrale et détestera le film. Elia Kazan, Richard

Brooks, les critiques et le public l'ont trahi. En considérant Maggie comme un personnage sympathique, en considérant le cadeau ultime du jeune couple au vieil homme comme un happy end sans ambiguïté, ils ont escamoté le cynisme et le dégoût que toute cette histoire inspirait à Tennessee. Pour lui, aucun de ses personnages n'est respectable : Brick, le lâche et le coincé, qui a eu honte des sentiments de son ami Skipper au point de le laisser tomber ; Maggie qui se bat comme une tigresse pour rester la femme d'un homme qui ne l'aime pas ; Big Daddy qui préfère son fils cadet, le plus beau et le plus doué ; Big Mamma qui ne voit rien, n'entend rien, et vit dans l'ombre d'un mari qui la méprise ; et, évidemment, Gooper et sa femme, Edith, qui font des enfants comme on achète des actions en Bourse.

Le message de Tennessee n'était pas : faites des enfants pour faire plaisir à vos parents, mais : affrontez toujours la vérité, ne la dissimulez jamais. Le secret ne protège pas : il empoisonne.

En avril 1955, Tennessee Williams est à Key West, avec Carson McCullers et Françoise Sagan. À la mi-juin, il part pour l'Europe, sans Franck. Le 25 juillet, Tenn apprend par un télégramme la mort à quarante-deux ans de Margo Jones. À l'automne, il rentre à New York et retravaille le scénario de *Baby Doll* pour Kazan, que l'absence de l'auteur a irrité. Le tournage a déjà commencé et Gadg exige de Tenn qu'il rejoigne l'équipe du film à Benoit (Mississippi). Tennessee refuse de mettre les pieds dans un État qui persécute les Noirs et les pédés. Il explique à « Gadg » qu'il a besoin de nager quotidiennement « pour mes nerfs » et qu'il ne peut séjourner dans un hôtel sans piscine. (Partout où il allait, Tennessee Williams exigeait, effectivement, une piscine au pis, la mer au mieux, pour pouvoir nager tous les jours, exercice nécessaire à son équilibre nerveux). Poussé par Kazan, qui n'a toujours pas de fin à son film, il rédige la dernière scène où Baby Doll et Silva Vacarro sont cachés dans un arbre, tandis qu'Archie Lee, ivre mort, cherche sa femme en hurlant, avant de se faire arrêter par la police. La dernière réplique est de Carroll Baker (Baby Doll) à Milly Dunnock (Tante Rose) : « Nous n'avons plus qu'à attendre de voir si on va se souvenir de nous ou bien nous oublier. »

Au début de l'année 1956, la relation entre Franck et Tenn se dégrade. Tenn écrit *The Ennemy Time*, qui deviendra *Le Doux Oiseau de la jeunesse*. Un premier recueil de poèmes est publié : *In the Winter of Cities*[1]. Pendant l'hiver, Maria Saint Just rend visite à son ami, à Key West. Sa présence crée des tensions avec les autres Femmes monstres de Tennessee, lequel, loin d'arrondir les angles, s'amuse de cette situation stimulante. Tallulah Bankhead, Marion Vaccaro et Maria Saint Just se toisent et se renvoient des propos blessants, pour le plus grand plaisir d'un auteur dramatique avide de répliques qui font mouche.

Tenn passe l'été en Europe, sans Franck. De retour à New York, en septembre, il apprend que sa mère est enfermée dans un service psychiatrique, à Saint Louis. Elle souffre de paranoïa aiguë par rapport à la

---

1. Le second, *Androgyne mon amour*, sera publié en 1977, toujours par *New Directions*.

population noire. Hanté par la ségrégation raciale, la violence au quotidien et les propos du Ku Klux Klan, son esprit a dérapé. Elle est persuadée que tous les Noirs veulent la tuer et vit dans une terreur continuelle. Son fils va la voir, désolé, puis, en octobre, s'envole pour les îles Vierges.

À son retour, le 18 décembre 1956, a lieu la première du film d'Elia Kazan *Baby Doll*, avec Karl Malden dans le rôle d'Archie Lee, Carroll Baker dans le rôle-titre et Eli Wallach dans celui de Silva Vacarro. Le scénario est adapté de deux pièces courtes, *27 Remorques pleines de coton*[1] et *Le Long Séjour interrompu* (ou : *Le dîner qui laisse à désirer*), écrit en 1946 et qui introduit le personnage de Tante Rose. Le film, sans être coupé par la censure, est boycotté par les puritains. Les années 50 aux États-Unis ont eu la « chance » de connaître, outre le maccartisme, un code de censure cinématographique très strict : le code Hayes. Des hommes d'Église s'installaient à l'entrée des cinémas pour noter le nom des paroissiens qui allaient voir les films condamnés par la « morale ». Le film de Kazan raconte l'histoire d'une jeune fille de vingt ans, très immature, qui s'est mariée avec un homme qui la dégoûte pour faire plaisir à son père mourant. Elle refuse de coucher avec son époux, mais tombe amoureuse d'un homme teigneux et violent, Silva Vacarro, l'étranger, qui, par ses nouvelles méthodes de production et d'exploitation du coton, a mis en faillite tous les petits égreneurs de la région, dont Archie Lee, le mari trompé.

---

1. En France, si la nouvelle a été traduite par « 27 Camions pleins de coton », la pièce est parue sous le titre : « 27 Remorques pleines de coton ».

La Chatte sur un toit brûlant

Tennessee et Rose vont passer Noël chez Carson McCullers à Nyack. Le 3 janvier 1957, Tenn écrit une lettre à Maria pour lui raconter l'épisode :

« Carson lui a tout de suite dit : "Rose, mon trésor, venez ici m'embrasser." Rose lui a répondu : "Non, merci. J'ai mauvaise haleine." [...] Elle est redevenue fort jolie. Mince, la peau claire, et ses yeux gris-vert sont ravissants, et cette incroyable douceur, cette patience, ce calme. Après tout ce qu'elle a enduré dans les fosses aux serpents, c'est vraiment un miracle qu'elle soit demeurée une vraie dame. Là où elle est maintenant [Stoney Lodge] elle a beaucoup plus de liberté, peut se promener dans la belle propriété qui domine l'Hudson, a une perruche dans sa chambre à laquelle elle a donné le nom de mère : Edwina Estelle. Elle parle très peu, comme si elle avait peur de dire quelque chose qui paraisse fou... »

*

La Descente d'Orphée
1957

Au début de 1957, Tennessee Williams est déprimé. Il écrit à Maria Saint Just que sa carrière d'écrivain est terminée et que « dans tout le reste [il] a échoué de façon spectaculaire ». Hélas ! l'échec que recevra sa nouvelle pièce va le conforter dans ce terrible sentiment. La première new-yorkaise de *La Descente d'Orphée* a lieu le 21 mars, au Martin Beck Theater dans une mise en scène de Harold Clurman, avec Cliff Robertson dans le rôle de Val Xavier, Maureen Stapleton dans celui de lady Torrance, Lois Smith dans le rôle de Carol Cutrere et Joanna Roos dans celui de Vee Talbot.

Dans un article, publié par le *New York Times* le 17 mars 1957, et intitulé « The Past, the Present and the Perhaps », Tennessee écrit :

« Pourquoi est-ce que je m'accroche avec tant d'obstination à cette pièce ? Depuis dix-sept ans, en fait ? Ma foi, rien n'est plus cher au cœur de l'homme que les souvenirs sentimentaux de sa jeunesse [...] En

La Descente d'Orphée

La descente d'Orphée (Orpheus Descending) Orphée tenait de sa mère le don de la musique. Il descendit dans le royaume des morts retrouver son amour, la jeune Eurydice. Il ne la sauva pas et se perdit lui-même. Dans la pièce de Tennessee Williams, Orphée a troqué sa lyre contre une guitare. Sa musique est le blues des Noirs. C'est un vagabond, un étranger, beau et libre. Il est né dans le Bayou des Sorcières et apparaît sur scène lorsqu'un sorcier noir pousse le cri des Indiens Choctaw. Il porte une veste en peau de serpent en signe de distinction. Il arrive dans le comté des Deux-Rivières, le pays d'Alma Winemiller, de Lot et de Chicken, un pays où il est souvent écrit : « Negro, arrange-toi pour que le coucher du soleil ne te trouve pas dans ce comté ! » Il décide de s'y poser et trouve du travail chez lady Torrance qui tient le magasin de « nouveautés » de son mari moribond, à quelques miles de l'autoroute. Elle a besoin de lui « pour continuer à vivre », il s'offre à elle. C'est une femme blessée qui se battra jusqu'au bout et échouera jusque dans sa vengeance. Il ne la sauvera pas et se perdra lui-même.

La poésie de Tennessee Williams, dans l'enfer du Mississippi, est comme une rose égarée dans une flaque boueuse. Le pays est cruel et ceux qui le traversent sont dévorés par des chiens sanguinaires. L'intolérance, l'exclusion, la corruption, la pourriture détruisent les êtres purs, sauvages et libres.

Certains nourrissent encore un espoir rebelle. Carol Cutrere, l'exhibitionniste, fille disgraciée de la plus grande famille de la région, demande un service au poète vagabond :

« Conduisez-moi sur la colline aux Cyprès, avec ma voiture. Et nous entendrons les morts parler. Ils

163

parlent vraiment, là-bas. Ils jacassent entre eux, comme des oiseaux, sur la colline aux Cyprès, mais ils ne savent dire qu'un seul mot, et ce mot c'est "vivez" ; ils disent : "Vivez, vivez, vivez, vivez !" Ils n'ont rien appris d'autre, c'est le seul conseil qu'ils savent donner : vivez, c'est tout... »

Val Xavier joue de la guitare et raconte de drôles d'histoires : « Vous savez, dit-il à Lady, qu'il existe une espèce d'oiseaux qui n'ont pas de pattes ? Ils ne peuvent se poser nulle part et ils passent toute leur vie à planer dans le ciel. C'est vrai. J'en ai vu un, une fois, mort, il était tombé sur la terre. [...] ils dorment sur le vent, oui, c'est comme ça qu'ils dorment la nuit, ils étendent leurs ailes et s'endorment sur le vent, alors que les autres oiseaux les replient et dorment sur les arbres... Ils dorment sur le vent et... ne touchent le sol qu'une seule fois : quand ils meurent ! »

À la fin de la pièce, le sorcier noir récupère la peau de serpent du poète sacrifié, « pour que l'espèce des fugitifs puisse se perpétuer... »

À La Nouvelle-Orléans vit un sorcier noir nommé Chicken. Il roule entre les paumes de ses mains de la pâte à bois jusqu'à en faire de petites boules noires porte-bonheur à un dollar. Il a du sang choctaw. Personne ne l'a jamais entendu crier.

apparence, il s'agissait, et il s'agit toujours, de l'histoire d'un gars indiscipliné qui s'aventure dans une communauté conformiste du Sud et produit l'effet d'un renard dans un poulailler. [...] Il s'agit d'une pièce sur les questions sans réponse qui hantent le cœur de chacun et sur la différence, représentée par les quatre principaux personnages, entre deux attitudes : continuer à poser les questions ou accepter les réponses convenues, qui ne sont rien d'autre que des semblants de réponses ou des faux-fuyants à une situation embarrassante [1]. »

La première version de *La Descente d'Orphée*, intitulée *Battle of Angels*, fut la première pièce de Tennessee Williams a être jouée professionnellement, bien qu'elle soit la cinquième qu'il ait écrite. Elle avait connu un échec cuisant à Boston, en 1941, et Tennessee s'était juré de la retravailler jusqu'à ce qu'elle soit à nouveau acceptée et produite. De nombreuses versions avaient été successivement refusées. Dix-sept ans après, *La Descente d'Orphée*, enfin montée à New York, déroute à nouveau le public.

Le 27 mars, à soixante-dix-sept ans, Cornelius Coffin Williams décède chez sa sœur, à Knoxville (Tennessee). Le jour de l'enterrement, Dakin et Tenn sont présents, Edwina ne se déplace pas. Leur tante Ella montre à Tennessee une photo de son père parue dans le journal local : C.C. posant fièrement devant un cinéma qui passe *Baby Doll*. Il sourit, la tête haute. La légende de la photo transcrit ses propres mots : « Je pense que c'est un excellent film et je suis fier de mon fils. » Tennessee est très ému de découvrir, trop tard, que non seulement son père n'était pas indifférent à son travail, mais qu'il l'appréciait et s'en enorgueillissait même. Cette mort le peine beaucoup plus qu'il ne l'aurait imaginé. Soudain, le vieil homme se rapproche et Tennessee regrette amèrement que cela ne se soit pas fait plus tôt.

---

1. Ce texte a servi d'introduction à la publication, par *New Directions*, d'*Orpheus Descending* (avec *Battle of Angels*), en 1958.

L'oiseau couronné

Le 18 mai, *La Descente d'Orphée* s'interrompt, après un mois et demi de représentations. C'est un échec. Tennessee écrit *Period of Adjustment*, une comédie optimiste et conformiste, qui sera produite au Coconut Grove Playhouse de Miami (Floride), le 29 décembre 1958. Elia Kazan refusera de la mettre en scène, lui préférant une pièce de William Inge, ce qui affectera beaucoup Tennessee.

En juin 1957, il commence une analyse avec le Dr Laurence S. Kubie, qui a l'idée aberrante de lui demander de cesser d'écrire. Il est bloqué à New York pour ses cinq (!) séances d'analyse hebdomadaires. C'est son premier été, depuis dix ans, sans voyage en Europe.

*

Soudain l'été dernier
1958

Le 7 janvier 1958, *Suddenly Last Summer* et *Something Unspoken* sont présentés sous le titre collectif de *Garden District*, off Broadway, au York Theater sur la 1re Avenue, dans une mise en scène d'Herbert Machiz.

Something Unspoken est un dialogue entre deux femmes, Cornelia Scott et Grace Lancaster, qui ont eu ou qui pourraient avoir des rapports homosexuels. *Suddenly Last Summer* est une pièce magnifique qui met en scène sept personnages, dont Mrs Venable (interprétée par Hortense Alden), le Dr Cukrowicz (interprété par Robert Lansing) et Catharine Holly (interprétée par Anne Meacham, à qui la pièce est dédiée).

Tennessee Williams disait, à propos de la mort de Sebastien Venable : « Les gens sont violents. La vie est cannibale. Les egos mangent les egos. Les personnalités dévorent les personnalités. Quelqu'un est toujours en train de dévorer quelqu'un, par ambition sociale,

L'oiseau couronné

Soudain l'été dernier (Suddenly Last Summer) est une pièce en 4 tableaux : Violet Venable, une vieille veuve richissime qui habite le quartier des Jardins à La Nouvelle-Orléans, a vécu pendant quarante ans avec son fils Sebastien, un poète oisif qui écrivait un poème chaque été, lorsque, *Soudain l'été dernier*, il meurt dans des conditions épouvantables, à Cabeza de Lobo, en Espagne. Violet tient la jeune Catharine Holly, la cousine de Sebastien, pour responsable. C'est elle qui accompagnait son fils. Pour la première fois, en effet, Sebastien et Violet ne voyageaient pas ensemble. Mrs Venable envisage une solution radicale pour se débarrasser de Catharine : la lobotomie. Elle a déjà réussi à la faire interner pour en finir avec son « bavardage ». Elle prononce les paroles exactes de Miss Edwina à l'encontre de Rose, quand elle demande au neurochirurgien d'« arracher cette horrible histoire de son cerveau ». Le Dr Cukrowicz écoute le bavardage de la jeune fille, c'est-à-dire son témoignage sur la personnalité réelle de Sebastien et sur les circonstances atroces de sa mort : le poète dandy a été dévoré par des enfants affamés.

par intérêt, par goût du succès, par cupidité ou pour n'importe quoi d'autre. »

Le thème symbolique du cannibalisme, déjà abordé dans la nouvelle *Le Masseur noir*, s'épanouit ici dans toute son horreur. Tennessee emploie des termes carnassiers : « Repu de bruns, affamé de blonds. C'est comme ça qu'il parlait des gens : comme s'ils étaient des plats sur un menu » (Catharine Holly à propos de Sebastien Venable). Mais si atroce soit-elle, Tennessee est persuadé que la vérité doit triompher, que seule la dissimulation est un péché. Elle ne peut triompher qu'en étant acceptée. L'horrible mort de Sebastien est la vérité, elle est acceptable. La dissimulation engendre le secret, qui, lui-même, engendre la peur. La vérité doit s'exprimer en pleine lumière pour que nous cessions d'être effrayés par les ténèbres de l'ignorance.

Tennessee Williams est Sebastien Venable. Catharine Holly est Rose. Violet Venable est Miss Edwina. Trois personnages transformés dans la tête de l'auteur en images de cauchemar. Sebastien écrivait ses poèmes d'été dans des cahiers bleus d'écolier (les fameux Blue Jay, dont le Narrateur se souvient dans *Moïse et le monde de la raison*), Tennessee aussi. Sebastien parlait des gens « comme s'ils étaient des plats sur un menu », Tennessee aussi. Il avait une vie de débauche et aspirait à la pureté, Tennessee aussi. Il cherchait le visage de Dieu, Tennessee aussi.

On en veut souvent davantage aux gens pour ce qu'ils disent que pour ce qu'ils font. La haine naît dans la peur et s'épanouit dans l'incompréhension, et, même si nous ne pouvons pas nous comprendre, « La vie est tellement compliquée et si mystérieuse que personne n'a le droit de juger ni de condamner la conduite d'autrui [1] ».

Le jugement est une négation de l'autre, nous le pratiquons constamment. Nous sommes tous des cannibales. Il faut être affamé pour survivre. Les gens qui ont peu d'appétit sont dévorés les premiers.

---

1. Alma Winemiller, dans *Été et fumée*, 1947.

L'oiseau couronné

Malgré le succès remporté par *Garden District*, Tennessee, dépressif et fatigué, s'enfuit à Key West. Il s'enferme et retravaille sa nouvelle pièce, *Le Doux Oiseau de la jeunesse*. En juin, il interrompt définitivement son analyse avec le Dr Kubie et s'envole pour l'Europe avec son amie Marion Vaccaro. Franck reste seul à Key West.

En juillet a lieu la première d'une pièce en un acte écrite en 1945 : *Parle-moi comme la pluie et laisse-moi écouter (Talk to Me Like The Rain and Let Me Listen)*, au White Barn Theater à Wesport, Connecticut. Une très courte pièce entre Elle et Lui, deux paumés fatigués.

*

Le Doux Oiseau de la jeunesse
1959

Le 10 mars 1959, *Sweet Bird of Youth* est présenté au Martin Beck Theater, à New York, par Cheryl Crawford, à qui la pièce est dédiée. La mise en scène est d'Elia Kazan et la musique de Paul Bowles. Avec Paul Newman dans le rôle de Chance Wayne et Geraldine Page dans celui d'Alexandra Del Lago, princesse Kosmonopolis.

La critique est plutôt mauvaise et pourtant, la pièce tient l'affiche pendant trois cent quatre-vingt-trois représentations.

Le Doux Oiseau de la jeunesse n'est peut-être pas la meilleure pièce de Tennessee Williams, mais elle a le mérite de confirmer le sentiment qu'il éprouvait à l'égard de ses jeunes amants. Les rapports entre Alexandra del Lago et Chance Wayne sont comparables à ceux de Blanche Du Bois et Stanley Kowalski, lady Torrance et Val Xavier, Serafina Delle Rose et Alvaro Mangiacavallo, Karen Stone et Pablo, Mrs Goforth et Christopher Flanders, Sabbatha et Giovanni.

L'oiseau couronné

Le Doux Oiseau de la jeunesse (Sweet Bird of Youth) est une pièce en trois actes qui met en scène une vieille actrice malade, Alexandra del Lago, une version hystérique de Mrs Stone, et un play-boy qui a perdu ses illusions. Ils échouent au Royal Palm Hotel, le plus bel hôtel de Saint Cloud, dans le sud des États-Unis, sur le golfe du Mexique. Elle est au lendemain d'une première au cinéma qui marque son retour sur les écrans. Lui est un raté qui revient dans sa ville natale où il est indésirable. Ils vont s'utiliser avant de se jeter.

La dernière réplique est désespérée :

Chance : « Je ne demande pas votre pitié, mais juste votre compréhension – même pas ça, non. Juste que vous vous reconnaissiez en moi, et que vous reconnaissiez notre ennemi commun, en nous tous, le temps. »

Tennessee se sent très sollicité, donc trop vulnérable. Il ne croit pas que l'on puisse l'aimer sincèrement. « Quand les gens sont gentils, je suis embarrassé et cela m'effraie », écrivait-il déjà à Donald Windham en juin 1945. Il n'a aucune confiance en lui, ne s'octroie aucun charme, ne supporte pas l'idée que l'on puisse le désirer. Il parle de sa « tête de poisson » ronde et pleine, de ses cheveux châtains en épis et de ses yeux bleus délavés avec ironie et mépris. Il admet que l'on puisse éventuellement l'aimer pour de mauvaises raisons (son argent et sa célébrité), mais lui, il en est incapable : ni pour de bonnes ni pour de mauvaises. Dans son œuvre, il revendique d'aller vers

les autres, avec amour. Mais dans sa vie, il se dérobe :
« Mon œuvre, c'est la seule façon de m'atteindre. »

Après la première du *Doux Oiseau de la jeunesse*
et malgré les ovations, Tennessee est déprimé. John
Steinbeck, qui veut le féliciter après le spectacle, est
congédié. Tenn s'enfuit à Key West avec Marion
Vaccaro. Ils décident d'aller à La Havane pour rencontrer Fidel Castro qui vient de prendre le pouvoir
à Cuba. Les deux hommes s'entendent très bien.
Castro surnomme Tenn « that cat ». Ils discutent
théâtre et cinéma.

En mai, Marion et Tennessee rentrent à Key West
où Franck les attend.

Pendant l'été de 1959, Sidney Lumet tourne *The
Fugitive Kind* (*L'Homme à la peau de serpent*),
adaptation cinématographique de *La Descente d'Orphée*, avec Anna Magnani dans le rôle de Lady, Marlon
Brando dans le rôle de Val, Joanne Woodward dans le
rôle de Carol Cutrere et Maureen Stapleton dans celui
de Vee Talbot, la femme du shérif. Les rapports entre
Magnani et Brando sont difficiles. La Magnani se
souviendra de leur rivalité :

« Marlon est bon, un brave type. Son seul défaut est
de se poser toujours en star. Il sait bien qu'il a un
visage superbe, magnétique, et il ne l'oublie jamais.
Moi, je suis terriblement attachée à lui, je l'admire.
Pourtant un jour où j'étais énervée, il vint me voir et
commença à me provoquer. "Je sais pourquoi tu as le
cafard. Je le sais. – Fiche-moi la paix, Marlon. Tu ne
comprends pas un clou. – J'en connais la raison, je la
connais. – Tais-toi ! – Je le sais. – Tu sais quoi ? – Je
sais que tu veux ton nom avant le mien sur l'affiche."

L'oiseau couronné

Mon Dieu ! je le voulais, mais je n'étais pas énervée à cause de ça et, s'il ne m'avait pas provoquée, je ne l'aurais jamais avoué. Je suis tellement orgueilleuse... Et il m'avait piquée à vif. Alors je lui répondis : "Oui, je veux que mon nom soit le premier sur l'affiche, en Italie." [...] J'éclatai : je montrai mon mauvais, pardon, mon bon caractère. "Cette chose, lui dis-je, je ne te l'aurais jamais demandée, et j'aurais attendu que tu me l'offres, comme un bouquet de fleurs. Étant donné que toi, tu ne me l'as pas offerte, je te dis que tu es vulgaire, que tu es un véritable mufle." Il sortit de ma loge blanc de rage et moi, j'obtins ce que je voulais[1]. »

Le 20 août, Franck Merlo et Tennessee Williams partent pour un voyage de trois mois autour du monde.

*

---

1. *Anna Magnani, op. cit.*

La Nuit de l'iguane
1961

Au début de 1960, Tenn et Franck sont à Key West. Tennessee est triste et de plus en plus épuisé. Il écrit à Maria Saint Just :

« Je crois que j'aimerais me reposer maintenant pendant dix ans sur mes lauriers fanés. [...] Je suppose que mon heure est passée dans les théâtres de Broadway, j'espère seulement que mon argent va me durer aussi longtemps que moi et que le capital, les investissements suffiront pour épargner à Rose la fosse aux serpents et pour garder au Cheval le cottage de Key West et de quoi nourrir sa ménagerie [1]. »

Au début de juin, Tennessee invite sa mère, son frère et sa belle-sœur, Joyce, à Los Angeles. Ils visitent les studios d'Hollywood et se rendent à des soirées très privées, pour le plus grand bonheur de Miss Edwina et de Dakin. À la fin du mois, Tenn rentre à Key West où Franck l'attend fidèlement. Leur relation est au plus bas. Tennessee peut mainte-

---

1. Tenn fait allusion aux nombreux animaux domestiques qui entouraient Frankie.

nant s'offrir, avec l'argent et la célébrité dont il dispose, tout ce que Franck lui apportait. Il n'a plus besoin de son aide matérielle et il est trop déprimé pour apprécier sa tendresse. Franck, qui n'a jamais eu d'autre activité que celle de s'occuper de son ami, sombre dans un désespoir et un ennui mortels. Comme Catharine Holly, dans *Soudain l'été dernier*, Tennessee affirme, désabusé, que « nous nous utilisons les uns les autres, et c'est ce que nous appelons l'amour... ». Franck devient inutile, leur amour meurt doucement.

Le 10 novembre 1960 a lieu la première new-yorkaise de *Period of Adjustment* au Helen Hayes Theater, dans une mise en scène de George Roy Hill (qui signera l'adaptation cinématographique en 1962, connue en France sous le titre *L'École des jeunes mariés*), avec James Daly dans le rôle de Ralph Bates, Barbara Baxley dans le rôle d'Isabel Haverstick et Robert Webber dans celui de George Haverstick. La pièce rencontre un succès médiocre aux États-Unis, mais triomphera, en 1962, en Grande-Bretagne.

Au début de l'année 1961, Tennessee est toujours à Key West. Il développe une nouvelle écrite en 1948 et en fait la pièce sublime du même nom : *La Nuit de l'iguane*. Il est à nouveau persuadé que ce sera la dernière et souffre de paranoïa aiguë. Même ses amis les plus proches deviennent des suspects. Il se sent espionné, critiqué, en danger. Il s'enferme dans son studio d'écriture, se méfie des coups de téléphone et des visites. Beaucoup de jeunes auteurs remportent alors un succès supérieur au sien : Harold Pinter, Edward Albee et William Inge. Tennessee Williams

La Nuit de l'iguane

La Nuit de l'iguane (The Night of the Iguana) est une pièce en trois actes qui se déroule un soir d'été de 1940, à l'hôtel Costa verde, sur la côte Pacifique du Mexique, au nord d'Acapulco. C'est une comédie philosophique pleine d'humour et de grâce. Maxine Faulk est la propriétaire de l'hôtel, c'est un Taureau femelle, une Femme monstre, qui aime les jeunes Mexicains et le rhum-coco.

Le révérend Shannon, un prêtre défroqué, est devenu chauffeur de bus et guide touristique pour un collège de jeunes filles. Il est au bord de la dépression nerveuse. Hannah Jelkes est une vieille fille célibataire qui se promène à travers la terre entière en compagnie de son grand-père, Nonno. Elle peint, il récite des poèmes. Le personnage du vieil homme est largement inspiré par le révérend Dakin. La nuit sera douloureuse pour ces quatre personnages. Mais, à l'aube, ils ne seront plus des étrangers.

« Quel est mon problème, Miss Jelkes ? demande Shannon. – Le plus vieux du monde répond-elle. – Vous avez soif de croire en quelqu'un ou en quelque chose qui serait pour vous comme une source intarissable d'émerveillement. Mais, comme tant d'autres, vous restez sur votre soif. [...] Je peux vous aider parce que je suis passée par où vous passez en ce moment. J'avais, moi aussi, un spectre, mais je l'appelais d'un autre nom. Je l'appelais cafard, simplement. Nous avons eu de durs combats, lui et moi [...] Vous savez, les spectres et les cafards ne brillent pas par l'intelligence. Avec eux, tous les trucs sont bons, pourvu qu'on les emploie avec persévérance. Le mien, je lui ai fait croire que je me passionnais pour la peinture. Quand j'étais en train de peindre, il était intimidé et me laissait un peu tran-

177

> quille. Et savez-vous ce qui est arrivé ? Je me suis vraiment passionnée pour la peinture. »

est fou de jalousie. Il double ses doses d'alcool et de médicaments...

À la fin de l'année, le 29 décembre, a lieu la première de *La Nuit de l'iguane*, au Royal Theater de New York, sous la direction de Franck Corsaro, avec Bette Davis (qui cédera sa place à Shelley Winters) dans le rôle de Maxine Faulk, Patrick O'Neal dans le rôle du révérend Shannon et Margaret Leighton dans celui d'Hannah Jelkes. La pièce est un triomphe.

Dans un article intitulé « Summer of Discovery » et publié dans le *New York Herald Tribune*, le dimanche 24 décembre 1961, Tennessee Williams écrit, à propos de *La Nuit de l'iguane*, que c'est une pièce largement autobiographique ; elle correspond à l'été de 1940 qu'il a passé à l'hôtel Costa verde, au Mexique :

« C'était une période désespérée de ma vie, mais c'est pendant ces moments-là que nous sommes le plus vivants, ce sont ces temps-là que nous nous rappelons le plus vivement, et un écrivain retire des périodes éclatantes et désespérées de sa vie l'impulsion nécessaire à son travail, qui consiste à transformer une expérience en une pièce ou une création importante, exactement de la même manière qu'une huître transforme le grain irritant de sable dans son coquillage en une perle, blanche ou noire, de petite ou de grande valeur. »

Le 10 avril, le New York Drama Critics' Circle

La Nuit de l'iguane

désigne *La Nuit de l'iguane* comme la meilleure pièce de l'année. Tenn part pour l'Europe avec un nouveau compagnon de voyage, Charles Nightingale (Charles Cauchemar). Alors qu'il est à Londres, un télégramme d'Audrey Wood lui annonce que Franck est gravement malade. Le lendemain, Tennessee rentre à New York.

*

Le train de l'aube ne s'arrête plus ici
1963

À l'automne de 1962, Franck se repose à Key West, pendant que Tenn travaille à New York sur sa prochaine pièce. Ils ont d'abord pensé que Frankie était atteint d'une bronchite pneumonique et de mononucléose. En janvier 1963, le Petit Cheval rejoint Tennessee à New York et lui annonce qu'il a un cancer des poumons.

Le 16 a lieu la première new-yorkaise du *Train de l'aube ne s'arrête plus ici*, au Morosco Theater, sous la direction d'Herbert Machiz, avec Hermione Baddeley dans le rôle de Mrs Goforth. La pièce est un échec, tant critique que public. Cette fois, même Brooks Atkinson n'a pas aimé. Le spectacle est interrompu après soixante-neuf représentations. Tennessee se réfugie à Key West, emmenant Franck avec lui.

En avril, Tenn et Franck remontent à New York. Frankie pèse moins de quarante kilos. Tennessee l'installe dans la chambre et dort sur le sofa de la bibliothèque : « Et, chaque nuit − et cela est un souvenir particulièrement pénible − je l'entendais

Le train de l'aube ne s'arrête plus ici (The Milktrain Doesn't Stop Here Anymore) est une pièce en six scènes qui développe une nouvelle écrite dix ans plus tôt, *Un homme monte avec ça*, et a des affinités avec une autre, écrite dix ans plus tard, *L'Inventaire à Fontana Bella*. C'est « une comédie sur la mort », disait l'auteur lui-même. Les personnages sont plutôt antipathiques et cruels les uns envers les autres, mais ils sont francs et courageux. Même si la pièce est un peu caricaturale, elle aborde un sujet essentiel : le sentiment de l'irréalité, « cette impression d'égarement total ». Ce sentiment difficile à exprimer que Tennessee abordait déjà dans *Le Printemps romain de Mrs Stone*, en le nommant « dérive », et sur lequel il reviendra jusqu'à la fin de sa vie, notamment dans *Moïse et le monde de la raison*. Christopher Flanders dit à Mrs Goforth :

« Chacun de nous, Mrs Goforth, a un certain sentiment de la réalité, le sentiment, plus ou moins développé, que dans son... dans son univers particulier, il y a des choses qui sont réelles et d'autres qui ne le sont pas... »

Dans *La Descente d'Orphée*, Vee Talbot, la femme du shérif, a des « visions », elle dit : « Vous savez bien qu'on vit dans l'ombre et la lumière ; dans un monde d'ombres et de lumières... »

La réalité prend des formes particulières qui se déforment dans l'ombre et la lumière. Un sourire angélique se transforme en un rictus grimaçant. Une clairière romantique, en un sous-bois effrayant. Un enfant, en vieillard. L'amour, en haine. Le sentiment d'être vivant ici et maintenant, en celui de n'être plus nulle part à aucun instant. Le drame des esprits torturés et fragiles qui se brisent, réside dans la

L'oiseau couronné

rupture, définitive ou périodique, avec ce sentiment indéfinissable de la réalité. Tennessee, sur un terrain de toute façon favorable, intensifie son déséquilibre par la consommation toujours plus grande d'alcool et de médicaments. La maladie de Franck développe chez lui des angoisses qu'il ne sait plus nommer. Les « démons bleus » laissent place à de terribles dragons, trop dangereux à affronter.

fermer le verrou de la porte de sa chambre. Supposait-il, le pauvre enfant, que j'étais encore capable de le rejoindre et de chercher encore mon plaisir sur son corps squelettique ?[1] » En juillet, ils vont à Nantucket pour se reposer. En août, Franck est admis au Memorial Hospital de New York. Tennessee lui rend quotidiennement visite. Le dernier jour du Petit Cheval, Tenn est resté assis à côté de son lit bien après qu'il se fut endormi. Après être allé boire avec des amis, tard dans la nuit, Tennessee est rentré chez lui. Le téléphone a sonné : Frankie était mort à vingt-trois heures. C'était en septembre 1963, Franck Philip Merlo avait quarante et un ans.

Tennessee Williams et Franck Merlo furent attachés l'un à l'autre pendant quatorze ans : « ... mon cœur, si longtemps habitué aux attachements brefs, avait trouvé dans ce jeune Sicilien un refuge, enfin[2]. »

Elia Kazan se souvient avec tendresse du couple qu'ils formaient :

« Je me les rappelle encore, faisant leurs courses à

---

1. *Mémoires, op. cit..*
2. *Mémoires, op. cit.*

l'épicerie comme des bourgeois français (?), tenant en laisse leur bouledogue dodu, qui se dandinait à leur côté. [...] À mon avis, Tennessee n'a jamais été aussi heureux qu'à ce moment-là ; il n'a jamais connu personne d'aussi aimant, loyal et honnête que Franck Merlo [1]. »

Tenn connaîtra encore quelques aventures, mais ne trouvera plus aucun refuge :

« Tant que Frankie était bien, j'étais heureux. Il avait un don pour créer la vie et, lorsqu'il cessa d'être en vie, je fus incapable de recréer une vie pour moi-même [2]. »

Après l'enterrement de son ami, Tennessee s'envole pour le Mexique, sur le tournage de *La Nuit de l'iguane*. Le film est mis en scène par John Huston, avec Ava Gardner dans le rôle de Maxine Faulk, Richard Burton dans celui de Shannon et Deborah Kerr dans celui d'Hannah Jelkes.

À la fin d'octobre, il rentre à New York pour assister aux répétitions d'une reprise du *Train de l'aube*, avec Tallulah Bankhead dans le rôle de Mrs Goforth. La première a lieu le 1er janvier 1964, au Brooks Atkinson Theater, et c'est un épouvantable désastre. Tallulah est gravement malade et n'a plus de voix. Personne dans la salle ne l'entend. Les représentations durent quatre jours ! Tennessee, effrayé, s'envole pour la Jamaïque.

Pendant le printemps et l'été de 1964, Tennessee Williams vit en reclus à New York. Il ne répond pas au téléphone, n'ouvre pas son courrier. Il ne voit plus

---

1. *Une vie, op. cit.*
2. *Mémoires, op. cit.*

que son nouveau thérapeute, le Dr Max Jacobson, plus connu sous le nom de « Docteur Feel Good », qui lui fournit drogues et médicaments à volonté.

Tennessee écrit une nouvelle, *Grande*, en hommage à sa grand-mère.

Sa célébrité décroît. Son inspiration se tarit. Sa vie se brise.

*

Cinquième partie

*L'âge de pierre
(1964-1976)*

Je ne peux imaginer demain
1966

Tennessee Williams est dans un état d'épuisement physique et de faiblesse psychologique épouvantable. Un admirateur, William Glavin, accepte, moyennant finances, de lui tenir compagnie. Tenn ne voit plus personne. Il écrit à Maria Saint Just :

« Je suis la définition même de l'hystérie. Je me déteste. Je sens que j'ennuie les gens et que je suis trop repoussant physiquement. »

Il ne tient plus debout. Lui qui a toujours eu tendance à glisser et à trébucher ne cesse de tomber et, comme un enfant, s'abîme genoux et coudes. Il se cogne dans les portes vitrées, dévale les escaliers plus rapidement que nécessaire, les monte plus lentement que prévu. Il est drogué du soir au matin et son corps malade ne tolère plus une goutte d'alcool. Dès qu'il boit — et il boit souvent — il s'écroule, ses phrases deviennent inintelligibles, son ton est agressif ou suspicieux, son regard craintif. Il n'écoute pas les conseils de ses amis et refuse de quitter le Dr Jacobson qui lui fournit toutes les ordonnances nécessaires pour se droguer davantage. C'est l'époque, aux États-Unis, des médecins miracles qui profitent de la faiblesse de leurs patients pour essayer sur eux des traitements dont ils ne maîtrisent pas les conséquences. Ces charlatans sévissent essentiellement dans les milieux artistiques, riches en proies faciles à attraper.

Cependant, Tennessee continue à travailler. En 1965, il écrit une nouvelle, *La Vieille Maison de maman.*

La vieille Maison de maman (Mama's Old Stucco House) raconte l'histoire de Jimmy Krenning, un jeune homme blanc oisif et débauché qui se réjouit de la mort de sa mère et de Brinda, une jeune fille noire à son service, dans la ville de Macon, en Géorgie. La nouvelle s'achève sur ces mots :

« Dieu a, comme tout le monde, deux mains très différentes, l'une pour frapper, l'autre pour apaiser et consoler. »

À quatre-vingt-un ans, Miss Edwina, elle non plus, ne tourne pas très rond. Elle est obsédée par le programme de conquête spatiale américain et par la bombe atomique. Tennessee va à Saint Louis évaluer l'ampleur des dégâts. Il développe une longue nouvelle, commencée en 1949, *La Quête du chevalier*, influencée par les délires de sa mère.

Le 22 février 1966 a lieu, au Longacre Theater de New York, la première d'un spectacle intitulé *Slapstick Tragedy*, comprenant deux pièces en un acte : *The Gnädiges Fräulein* et *The Mutilated*. La mise en

Je ne peux imaginer demain

> *La Quête du chevalier* (The Knightly Quest),
> reprise en 1975 sous le titre *The Red Devil Battery
> Sign*, pièce inédite, est une nouvelle étrange, entre
> romantisme et fantastique, qui a des airs du *1984*,
> d'Orwell, ou du *Meilleur des mondes*, d'Huxley.
> C'est l'histoire du prince de la Tour, Gewinner
> Pearce, jeune dandy marginal, fils de famille rebelle
> et solitaire. Il revient au pays, après avoir fait plu-
> sieurs fois le tour du monde avec son précepteur.
> Chez lui, tout a bien changé. Il est question d'un
> « projet » dont Gewinner ignore le contenu. À la fin de
> la nouvelle, toute la ville explose, et les survivants,
> dont le prince, se retrouvent à bord d'un vaisseau
> spatial...

scène est d'Alan Schneider, avec Kate Reid dans le
rôle de Molly, Margaret Leighton dans le rôle de The
Fräulein, et Zoe Caldwell dans celui de Polly, pour la
première pièce ; Margaret Leighton, toujours, dans le
rôle de Trinket et Kate Reid dans celui de Celeste,
pour la seconde. Le spectacle est un échec et s'interrompt après sept représentations.

Il est intéressant de noter que, si l'œuvre de
Tennessee Williams a toujours été, comme nous
l'avons vu, très autobiographique, à partir de 1966,
elle se confond totalement avec son existence douloureuse.

En mars, le magazine *Esquire* publie une pièce en
un acte, *I Can't Imagine Tomorrow*.

Je ne peux imaginer demain est une pièce très
émouvante et pleine d'humour, même si le ton est

profondément désespéré. Elle met en scène deux personnages : Une (une femme) et Deux (un homme). Ils ont environ la quarantaine et sont seuls au monde. Lui, est un ancien professeur qui ne peut plus enseigner en raison de graves problèmes d'élocution. Elle, est malade, dépressive, et pratique l'humour caustique. Puisque la communication par la parole leur est très difficile, Une propose d'essayer par écrit. Deux griffonne : « Je t'aime et j'ai peur. » Et quand Une lui demande : « De quoi as-tu peur ? » Deux ajoute : « Des changements. » Une lui rétorque alors :

« Je sais que certaines personnes sont terrifiées par les changements et s'accrochent à la routine. Je crois que ça leur donne l'impression d'être protégées. Mais la répétition ne fait pas la sécurité. »

Une voudrait que Deux se fasse à l'idée qu'elle ne sera pas toujours là. Pour se préparer au changement, il faudrait qu'il apprenne à rencontrer des gens. Il dit qu'il ne peut pas parler à n'importe qui, qu'elle est une amie. Une lui demande : « Un ami ? Qu'est-ce qu'un ami ? », et de vanter les mérites des échanges avec les étrangers, comme Tennessee dans une note pour la scène 12 d'*Été et fumée*, lorsqu'il écrit : « Cette intimité soudaine et mystérieuse qui s'instaure parfois entre des inconnus avec plus de force qu'entre de vieux amis... »

Une raconte à Deux l'histoire du pays des Dragons : chacun de nous fait son chemin au pays des Dragons. On marche seul, aveuglé par sa propre souffrance, sa propre quête, ignorant tous ceux qui marchent à nos côtés.

Une raconte à Deux la fable du petit homme qui

Je ne peux imaginer demain

gravit la montagne jusqu'à la maison de la Mort.
Devant la porte, la sentinelle lui demande ses papiers.
Le petit homme, épuisé, les lui donne. La sentinelle le
renvoie : il est venu trop tôt, qu'il revienne dans vingt
ans. Le petit homme refuse de s'en aller et se met à
pleurer : « Si vous ne me laissez pas entrer, j'attendrai
à la porte pendant vingt ans. Je ne peux pas redescen-
dre la montagne. Il n'y a pas de place pour moi en
bas. »

La sentinelle s'en va, et le petit homme, qui n'osait
pas parler, se met à hurler. Ses cris dérangent la Mort.
Elle demande des explications à la sentinelle qui lui
expose la situation. La Mort répond que, dans certains
cas, elle a le droit d'ouvrir la porte plus tôt : « *Any-
thing to stop the disturbance !* [1] » (Encore et toujours
les paroles de Miss Edwina à l'encontre de Rose...)

*

1. « N'importe quoi pour faire cesser le dérangement. »

The Two Characters Play
1967
Out Cry
1969

Au printemps de 1966, Audrey Wood négocie les droits pour le cinéma du *Train de l'aube ne s'arrête plus ici*. Tennessee Williams et William Glavin s'envolent pour Londres afin d'y rencontrer le réalisateur, Joseph Losey. Puis, ils descendent en Italie.

Le script du *Train de l'aube* s'intitule d'abord *Goforth !*, du nom du personnage principal qui signifie *en avant* : la devise de Tennessee, qu'il écrivait toujours en français. Il disait : « Le courage de poursuivre, c'est fondamental dans la vie. » Il croyait en la persévérance et en l'endurance. Ce qui fait la différence entre les hommes, pensait-il, n'est ni la naissance, ni la compétence, ni la chance. La différence entre les hommes réside dans la persévérance et l'endurance. *En avant !* tous les matins, avec une journée de plus sur le dos et une de moins à l'horizon. Il faut se donner du courage et mettre tout son cœur à l'ouvrage. Tennessee n'a jamais failli à sa philosophie, et s'il eut recours à des stimulants artificiels, cela participait également de cette volonté de continuer dans le plaisir ou la douleur :

« Vous continuez dans la solitude, les outils de votre travail vous trahissent ou vous les trahissez, les coqs chantent trois fois avant le lever du jour, aussi odieux que le geôlier pour le condamné – tout vous est hostile, mais vous continuez... [1] »

Au début de l'année 1967, Tennessee et Glavin vont en vacances aux îles Vierges. Puis ils passent l'été en Europe. En Espagne, d'abord, où Tenn assiste à de nombreuses corridas, puis à Rome et en Sardaigne, sur les lieux du tournage du film *Goforth !*, qui se nomme désormais *Boom !* (le bruit de la vague contre la falaise).

La distribution est un non-sens : Liz Taylor est trop jeune pour jouer Mrs Goforth (soixante-dix ans dans la pièce), et Richard Burton, trop vieux pour le rôle de Christopher Flanders (une trentaine d'années dans la pièce.) Le film, hélas ! s'en ressentira.

Au début de septembre, Tenn et son compagnon rentrent à New York. Le 29 septembre 1967, Tennessee apprend la mort de sa sister-woman : Carson McCullers a succombé à une hémorragie cérébrale à l'âge de cinquante ans.

Le 12 décembre, Tenn est à Londres pour assister à la première de *The Two Characters Play* au Hampstead Theater Club, sous la direction de James Roose-Evans, avec Peter Wyndgarde dans le rôle de Felice et Mary Ure dans celui de Clare. La critique britannique juge la pièce confuse et prétentieuse.

---

1. *Sabbatha et la solitude*, 1973. Robert Laffont.

L'âge de pierre

En février 1968 a lieu la première de *Paradis sur terre* (*Kingdom of Earth*, ou *The Seven Descents of Myrtle*), à Philadelphie, sous la direction de José Quintero. Le 27 mars, la pièce monte à New York, à l'Ethel Barrymore Theater, toujours sous la direction de Quintero, avec Harry Guardino dans le rôle de Chicken, Brian Bedford dans le rôle de Lot et Estelle Parsons dans celui de Myrtle. Sidney Lumet avait réalisé une version cinématographique en 1964, sous le titre *Last of The Mobile Hot Shots* (*Blood Kin*, en Europe), pour la Warner.

La pièce est un échec. Elle tient un mois.

Au mois de juin, lors d'une dispute avec William dans un restaurant, Tennessee fait une crise aiguë de paranoïa : il demande à un serveur qu'on lui apporte immédiatement du papier et un crayon et se met à écrire à son frère Dakin :

« Si quelque chose d'une nature violente devait m'arriver, achevant ma vie brutalement, ce ne serait pas un suicide, comme cela voudrait le laisser paraître. »

Dakin s'inquiète aussitôt et prévient la police. Une rumeur circule sur le décès probable de l'auteur dramatique ; les bruits sont si persistants que, le 30 juin, le *Times* est obligé de publier un article assurant que Tennessee Williams est toujours vivant.

Pendant l'été de 1968, Tenn travaille sur deux pièces : la révision de *The Two Characters Play*, sous le titre *Out Cry*, et *In The Bar of a Tokyo Hotel*. Il fait un rapide séjour à Londres, puis rentre précipitamment à Key West : il est en très mauvaise santé.

The Two Characters Play, ou *Out Cry*, est un

dialogue entre un frère et une sœur qui témoigne de ce que Tennessee n'a jamais cessé de répéter : Rose est l'autre partie de lui-même. Les deux personnages de la pièce n'en font qu'un. Ce que Tenn a perdu, la pureté, la virginité, il l'a perdu en se séparant de sa sœur. Il a la nostalgie d'une époque qui ne reviendra jamais ; de là son hypersensibilité au temps, qui l'éloigne plus encore de son enfance pour le conduire aux portes d'un monde inconnu qui l'effraie.

The Two Characters Play – première version – a été écrit en 1967. *Out Cry*, en 1969.

La pièce est dédiée « à quatre amis : Bill Lentsch, Maryellen Flynn, Bill Barnes, Maria Saint Just, tous ceux qui ont chéri ce travail contre toutes les circonstances adverses. *En avant !* »

C'est probablement la pièce la plus douloureuse de Tennessee. Désespérée, troublante, pathétique, implacable. Un frère, Felice, et une sœur, Clare, enfermés dans un théâtre, jouent une pièce imaginaire, *The Two Characters Play*, sur une scène sans décor ni public.

Clare : « Un docteur, une fois, m'a dit que toi et moi étions les personnes les plus courageuses qu'il ait jamais connues. J'ai dit : "Pourquoi, c'est absurde, mon frère et moi sommes terrifiés par nos propres ombres." Et il a dit : "Oui, je sais, et c'est pourquoi j'admire tant votre courage." »

Tous deux sont perdus, et Clare demande à son frère :

« Quand allons-nous rentrer à la maison ?

— Notre maison est un théâtre partout où il y en a un. »

Ce qu'ils ont quitté n'existe plus :

L'âge de pierre

« Sans endroit où revenir, nous devons continuer, tu sais. »

Clare a peur, elle ne peut rien sans son frère :

« Je veux sortir ! dehors, dehors, je veux sortir !

— Tu veux sortir crier ?

— Oui, sortir crier.

— Sors !

— Toute seule ? Pas toute seule ! »

Felice sort de la maison-théâtre sans sa sœur, terrifiée :

« Reste ici, reste ici seule, pendant que moi je sortirai de cette maison. Je ne reviendrai jamais. Je marcherai, marcherai, j'irai, j'irai ! Loin, loin, loin !

— J'attendrai.

— Quoi ?

— Toi.

— Ça sera une longue attente, une plus longue attente que tu n'imagines. Je te laisse maintenant. Au revoir ! »

Il s'en va, se retourne vers le public :

« Non, je ne peux pas la laisser seule. Je me sens si exposé, si gelé. Et derrière moi, je sens la maison. Elle semble respirer timidement, chaude respiration dans mon dos. Je ressens ce que vous ressentez quand une personne que vous aimez est debout près de vous. Oui, j'ai déjà renoncé. La maison est si vieille, si fanée, si chaude que, oui, elle a l'air de respirer. Et de murmurer : "Tu ne peux pas partir. Laisse tomber. Rentre ici et restes-y". Un commandement si doux ! Qu'est-ce que je fais ? Bien sûr, j'obéis. Je rentre à la maison, très rapidement. *Je ne regarde pas ma sœur.* »

196

La Ménagerie de verre, vingt-deux ans auparavant, se terminait par ces mots :

« Je fis beaucoup de chemin. [...] Je me serais volontiers arrêté, mais j'étais poursuivi par quelque chose. Cela me tombait toujours dessus à l'improviste, cela me prenait toujours par surprise. Ou bien c'était un air de musique déjà entendu. Ou un bruit de verre transparent. Parfois, il m'arrive de marcher le soir, dans les rues d'une ville étrangère, en attendant de trouver des compagnons. Je passe devant l'étalage illuminé d'une boutique de parfums. La vitrine est remplie de verre coloré, de minuscules flacons transparents aux couleurs délicates, semblables aux fragments d'un arc-en-ciel pulvérisé... Et, tout à coup, ma sœur me touche. Je me retourne et *je la regarde dans les yeux.* »

À la fin de la première pièce à succès de Tennessee Williams, le Narrateur partait, il quittait sa sœur. Il était décidé, il s'engageait.

Vingt-deux ans plus tard, dans une pièce méconnue, Felice, l'autre visage de Tom, n'a plus la force de partir. Il se dérobe, faible, honteux, misérable, il évite le regard de sa sœur, qui attend tout de lui. Il n'en peut plus, il est usé. Elle a toujours ce regard qu'il ne peut plus supporter. Le mot interdit est « *confined* » (enfermé), le jeu interdit est celui du monde extérieur.

Entre l'enfermement détesté et la société redoutée, le seul espace qui leur reste est un théâtre. Un théâtre où ils pourront inventer leur propre histoire :

« Felice, est-il possible que la Pièce pour Deux Personnages n'ait pas de fin ? »

L'âge de pierre

Une fois encore, le plus sérieusement du monde, Tennessee envisage de se faire admettre, auprès de sa sœur, à Stoney Lodge. Il n'y parvient pas et à la fin de l'année 1968, quitte New York pour Key West. Son frère, Dakin, le rejoint le 6 janvier 1969 et le convainc de se convertir au catholicisme. Le 10 janvier 1969, Tennessee Williams est baptisé par le père Le Roy en l'église Saint Mary Star of the Sea, à Key West. Tenn dira quelques années plus tard :

« Ma conversion était une blague. J'étais incapable d'apprendre quoi que ce soit. [...] J'aime la beauté du rituel, mais les dogmes de l'Église sont ridicules. »

Il remonte à New York pour les répétitions d'*In The Bar of a Tokyo Hotel*. La première a lieu le 11 mai à l'Eastside Playhouse de New York, sous la direction de Herbert Machiz, avec Anne Meacham dans le rôle de Miriam et Donald Madden dans celui de Mark. À nouveau, c'est un terrible échec.

Tennessee part pour le Japon, le 21 juin, avec Anne Meacham. Il y rencontre l'écrivain Yukio Mishima, puis rentre à New York le 13 juillet.

Il a toujours en tête de rejoindre sa sœur à Stoney Lodge : « Je n'écris que pour elle. »

À la mi-septembre, il est à Key West. Il tombe encore une fois, mais cette chute est plus grave que les précédentes. Il s'ébouillante le bras avec une casserole d'eau chaude. Dakin arrive aussitôt, prévenu par Leoncia McGee, et fait admettre son frère au Barnes Hospital de Saint Louis, Renard Psychiatric Division, chambre 9126.

Depuis plusieurs années, Tennessee Williams était intoxiqué par une drogue, la glutethimide, commercialisée sous le nom de Doridene. C'est un barbiturique très fort qui provoque un état subconfusionnel avec obnubilation, dysarthrie (difficulté à articuler les mots) et ataxie (absence de coordination des mouvements). La cure de désintoxication doit être progressive et contrôlée en milieu médical, car le sevrage brutal peut entraîner un état confusionnel aigu, avec onirisme et crises de convulsions.

Tennessee est sevré brutalement. Il en voudra à Dakin jusqu'à la fin de sa vie de lui avoir fait endurer une telle épreuve. Au début de décembre, il est de retour à Key West : c'est un miracle, disent les médecins.

*

Moïse et le monde de la raison
1975

Tennessee Williams est toujours à Key West lorsqu'il apprend la mort de Marion Black Vaccaro, au mois d'avril 1970. En août, après avoir repris quelques forces, il part pour l'Asie avec Oliver Evans. Ils y restent cinq mois. De Bangkok, le 30 octobre, Tennessee écrit à Maria Saint Just :

« Il n'est personne, personne qui, aimant la vie autant que moi après mes sept longues années de trou noir, veuille passer l'arme à gauche, alors que je savoure avec un plaisir nouveau et profondément sensuel chaque moment. Je me battrai comme un tigre pour vivre, désormais, m'étant totalement remis de ma soumission à un désir de mort inconscient qui m'obsédait, me possédait depuis la perte du Cheval, qui me donnait la vie quand il était là. »

Tennessee écrit deux nouvelles, *Un reclus et son hôte* et *Heureux 10 août*.

> *Un reclus et son hôte* (A Recluse and His Guest)
> raconte l'histoire de Klaus, le reclus, et de Nevrika,
> l'hôte ; quelque part dans le Nord, en hiver. Pendant
> quelques mois, le reclus cesse de l'être grâce à la
> présence bénéfique d'une femme qui a débarqué chez
> lui en plein milieu de la nuit. Un jour, il retrouve sa
> réclusion, par lâcheté, par paresse, et chasse la femme
> qui l'encombre. Il préfère être seul et misérable
> plutôt que d'aménager sa vie et d'apprendre à parta-
> ger.
> *Heureux 10 août* (Happy August the 10 th) est une
> scène de ménage touchante entre deux femmes,
> Elphinstone et Horne qui vivent ensemble, à Manhat-
> tan, depuis dix ans.

Au début de 1971, Tennessee retravaille *Out Cry*.
En juin, le magazine *Esquire* publie une pièce en un
acte, *Demolition Downtown*, un texte symbolique sur
la fin du monde. En juillet, George Keathley met en
scène la nouvelle version d'*Out Cry* à l'Ivanhoe
Theater de Chicago, avec Donald Madden dans le rôle
de Felice et Eileen Herlie dans celui de Clare.

Pendant les répétitions, Tenn est extrêmement
tendu, tant ce qu'il a écrit le bouleverse. Afin de le
soutenir, Audrey Wood fait le voyage de New York
pour assister à la première, le 8 juillet. C'est la
rupture. Tennessee, furieux contre le monde entier,
agresse Audrey dans les loges, après le spectacle. Il
l'accuse devant tout le monde de lui vouloir du mal :
« Tu as dû être contente de l'accueil [froid] du

public, ce soir. Ça fait dix ans que tu veux ma mort. Mais je ne vais pas mourir ! »

Après son frère, avec qui il a rompu l'année précédente, c'est au tour de son agent de payer pour ses échecs successifs. Il reste malgré tout dans la même agence artistique, l'IFA (International Famous Agency), qui deviendra, en 1974, l'ICM (International Creative Management). C'est Audrey elle-même qui lui fera rencontrer celui qui s'occupera de ses affaires pendant les sept années à venir : Bill Barnes. En juin 1973, quand Tennessee aura l'impression que Bill le néglige à son tour, il écrira à Maria Saint Just :

« Pour faire du bon travail, j'ai besoin de sentir un autre intérêt à côté du mien. »

Out Cry est un échec et la production ne va pas à New York. Claudia Cassidy a beau parler de « magie dévastatrice » à propos de l'œuvre de Tennessee, rien n'y fait. Les représentations s'interrompent.

Le 1er octobre a lieu la création parisienne du *Doux Oiseau de la jeunesse* au théâtre de l'Atelier, dans une adaptation de Françoise Sagan, avec Edwige Feuillère dans le rôle d'Alexandra del Lago. Tennessee se rend à Paris pour l'occasion et approuve chaleureusement le travail de Sagan et de Feuillère. Puis il s'envole chez son ami Maria à Wilbury Park, propriété familiale des Saint Just.

En novembre, il est à La Nouvelle-Orléans et travaille sur ses *Mémoires*. Il écrit à Maria :

« Je prends beaucoup de plaisir à les écrire [...] et, même si je devrai peut-être m'exiler à jamais des États-Unis quand ils auront été publiés, je sens que ça peut me rapporter un million facilement ! Il serait temps que quelque chose me rapporte la grosse galette... »

Tennessee monte à Saint Louis pour les fêtes de Noël. Dinky Dakin se présente une fois encore au Sénat, dans l'État de l'Illinois.

Au début de l'année 1972, Tennessee Williams est à La Nouvelle-Orléans. Il achète une maison au 1014 Dumaine Street et travaille sur *Small Craft Warnings*, la révision d'une pièce en un acte, *Confessional*, écrite en 1967. La première a lieu le 2 avril 1972 au Truck and Warehouse Theater sur la 4e Rue Est, à New York. La mise en scène est de Richard Altman, avec Helena Carroll dans le rôle de Leona, Gene Fanning dans celui de Monk, William Hickey dans celui de Steve, Candy Darling (le travesti des films d'Andy Warhol) dans le rôle de Violet et... Tennessee Williams lui-même dans celui de Doc pour les cinq premières représentations. Tenn s'amuse énormément en improvisant tout au long de la pièce, au grand désespoir des autres acteurs qui ne peuvent pas en placer une. Il écrit à Maria :

« Je crois devoir admettre que je joue comme un pied et que j'adore jouer : je remets ça ce soir. »

En juin, il va rendre visite à Edward Albee, dans sa maison de Long Island. En juillet, dans sa suite de l'Élysée Hotel, il écrit deux nouvelles : *L'Inventaire à Fontana Bella* (*The Inventory at Fontana Bella*), publiée en 1973 dans *Playboy*, qui raconte l'histoire de la principessa Lisabetta von Hohenzalt-Casalinghi, cent deux ans, sur la rive nord du lac Majeur..., et *Miss Coynte de Greene*, publiée également dans *Playboy* en 1973, qui met en scène une vieille fille du delta du Mississippi, dont les désirs sont restés long-temps « obscurcis par des générations de dissimula-tion et de rectitude dans la conduite, de nuit comme de jour ».

À la fin de l'été, Tennessee Williams est juré d'honneur au festival du film de Venise. Il s'y fait de nouveaux amis : Paul Morrissey, Andy Warhol, Sylvia Miles et Joe Dallessandro.

De retour à New York, il rencontre un jeune vétéran du Vietnam, apprenti écrivain, Robert Car-roll, qu'il surnommera rapidement « l'Enfant terri-ble ». D'après Donald Spoto, auteur d'une biographie de Tennessee Williams, seuls Carroll et Rose Isabel seraient mentionnés dans le testament de Tennessee, aucune allusion à Maria Saint Just n'y serait faite...[1]

Tennessee retravaille encore *Out Cry* entre Key West, New York et La Nouvelle-Orléans. Il tient absolument à convaincre le public et la critique, il veut leur plaire et que son histoire les touche. Mais, le soir de la première, le 1ᵉʳ mars 1973, au Lyceum Theater de New York, dans une mise en scène de Peter Glenville, avec Michael York dans le rôle de Felice et Cara Duff-McCormick dans celui de Clare, sa pièce tant aimée déconcerte encore une fois. *Out Cry* s'arrête le 10 mars, après douze représenta-tions.

Heureusement Tennessee continue à écrire. À un journaliste qui l'interroge cette année-là, il confie :

« J'ai une grande expérience de la folie. J'ai été enfermé. Ma sœur a passé la plus grande partie de sa

---

1. *The Kindness of Strangers, op. cit.*

vie dans un établissement psychiatrique. Ma sœur et moi avons énormément besoin qu'on s'occupe de nous. [...] Je suis un être solitaire, plus seul que la plupart des gens. J'ai une part de schizophrénie en moi et, pour éviter de sombrer dans la folie, je dois travailler. » À la même époque, il écrit à Maria : « Ma seule vraie joie dans l'écriture, c'est de continuer à écrire. » Et dans ses *Mémoires* il conclut : « Je suis un écrivain contraint et forcé. »

Tennessee est comme Félice : « Un auteur dramatique autant qu'un acteur, mais vous seriez aimable de le considérer comme un poète doté d'une sensibilité peut-être un peu dérangée. »

Il se sent « dispersé », « éparpillé ». En 1975, dans une interview à Cecil Brown, il dira :

« Nous devons essayer de créer une identité à partir de tous nos prédécesseurs, de tous les fragments des êtres qui nous ont précédés et qui font partie de notre être ; de fabriquer une unité à partir de ces composantes. C'est presque impossible. Nous ne pouvons qu'être quelque peu divisés et déchirés. »

Propos qui reprennent une préoccupation ancienne que Tenn avait déjà exprimée en 1943 à Donald Windham.

Tennessee Williams rencontre Harry Rasky, un cinéaste canadien, qui tourne un film en hommage à sa carrière : « Tennessee Williams South ». Au mois d'avril il fait un voyage éclair au Japon, en Thaïlande et en Turquie. Il est de retour le 23. À la fin de mai, il repart pour l'Italie. Dans une lettre à Maria, il se plaint de Robert Carroll, l'Enfant terrible, qui se plaît à crier sur tous les toits qu'il est payé pour l'accompa-

L'âge de pierre

Sabbatha et la solitude (Sabbatha and Solitude) raconte la décadence de la « célèbre poétesse Sabbatha Veyne Duff-Collick » au côté de laquelle s'ennuie Giovanni, un jeune homme aux traits méditerranéens. C'est une nouvelle pleine d'humour, un humour noir et désespéré, dans le même ton que *Je ne peux imaginer demain*. Comme le personnage féminin de la pièce en un acte, Sabbatha ne réussit plus à monter l'escalier jusqu'à sa chambre « dans un état raisonnablement vertical [...] Elle se dit, non sans logique, qu'elle commençait dans sa maison une vie au rez-de-chaussée ». Toutes les angoisses qui torturent Tennessee Williams hantent la poétesse : l'horreur de la réclusion, la peur de la folie, quoique « devenir fou peut comporter une certaine exaltation, si on ne lutte pas, si on tire tous les registres de l'instrument sans se soucier des conséquences ». Mais ce qui l'effraie le plus et lui paraît inévitable, c'est « la mort dans la solitude ». « Les noms des poètes et des poétesses qui étaient morts seuls, totalement seuls, traversèrent son esprit. C'était comme un tableau d'honneur. » Un tableau d'honneur sur lequel son nom s'inscrira bientôt.

gner et que cela l'ennuie à mourir. Tenn est très attaché à ce jeune homme, qui le traite avec mépris et cruauté et il ne parviendra jamais vraiment à s'en débarrasser.

1973 est une année noire : le 4 mai, Jane Bowles meurt à l'âge de cinquante-six ans dans un hôpital psychiatrique de Malaga, en Espagne. Le 10 juin

William Inge succombe à une énième tentative de suicide.

En juillet, Tennessee va rejoindre Paul Bowles à Tanger. Il a du mal à trouver, en location, une villa avec piscine et se dispute trop souvent avec l'Enfant terrible. Quant à Paul, il fume du kif du matin au soir, et c'est tout juste s'il apprécie la compagnie de son ami. Tennessee s'envole pour Londres. Il est aux États-Unis en septembre. Il écrit *Sabbatha et la solitude*.

C'est à Key West que Tenn apprend la mort d'Anna Magnani, décédée le 26 septembre 1973 d'un cancer, à Rome, à l'âge de soixante-cinq ans. Il ne se déplace pas, mais envoie vingt douzaines de roses.

En décembre, il signe un contrat avec Kate Medina, des éditions Doubleday, pour la publication de ses *Mémoires*.

Pendant l'année 1974, quand Tenn n'est pas à New York, à l'Élysée Hotel, ni en voyage en Europe, ni à La Nouvelle-Orléans, il se repose à Key West où une bande de profiteurs composée de jeunes « artistes » fauchés le pille jour après jour. Et, comme ce qu'il exprime dans ses pièces n'intéresse plus personne, il se venge dans les interviews : il s'entraîne à être le plus provocant possible.

Dans les années 70, âge d'or de la génération beatnik, dont le centre est à Height Street à San Francisco, Tennessee Williams est un auteur démodé et abandonné du public. Dans *Sabbatha et la solitude*, il écrit :

« Il y avait eu cette dernière visite à l'Escargot fou [un restaurant français de Greenwich Village], quand elle était entrée pour trouver sa table habituelle usurpée par des jeunes hommes très barbus, pas du tout du genre de ceux qui l'accompagnaient d'ordinaire.

"Maître, avait-elle dit, ma table est occupée ce soir par des étrangers. Voudriez-vous les faire partir ?

— Oh, madame, avait répondu le maître d'hôtel, c'est le jeune poète Ginsberg avec deux amis, on ne peut pas les faire changer de place, j'aurais peur qu'ils ne fassent une scène si je leur demandais d'abandonner la table. Vous comprenez, ils sont très, très à la mode en ce moment." »

Malgré toutes ces avanies, Tennessee reçoit hommage sur hommage ; il est invité dans des universités prestigieuses, devant le public desquelles il fait son numéro d'auteur fatigué toujours au combat.

En mars, il va à Londres pour une reprise d'*Un tramway* au Piccadilly Theatre, avec Claire Bloom dans le rôle de Blanche. Il descend ensuite quelques jours à Aix-en-Provence.

Au mois de mai, la maison d'édition Simon & Schuster publie son second roman : *Moïse and The World of Reason*.

Moïse et le monde de la raison[1], dédié à Robert Carroll, a pour cadre le quartier de Greenwich Village à New York. Un jeune auteur, la trentaine, aussi « raté » que « distingué » est amoureux de Charlie qui lui est infidèle. « Je ne jouais pas des coudes. Je ne joue rien d'autre que du crayon ou de la plume, et

---

1. Traduit en français par : *Une femme nommée Moïse*, Éd. Robert Laffont.

c'est là une partie de mon immense problème dans la vie. »

Tout seul dans l'entrepôt délabré et glacé qui lui sert de tanière, assis devant un cahier Blue Jay, il se souvient de son amour passé avec un patineur noir, Lance, « le nègre vivant de la glace », mort d'une overdose d'héroïne. Moïse était une amie de Lance. Très maigre, presque transparente, elle vit à Bleecker Street dans le dénuement le plus total.

Moïse est peintre. Son renoncement à la société et son isolement sont tels qu'elle sait qu'elle ne vendra jamais une toile de son vivant. Jusqu'à présent elle a vécu de bouts de chandelle et de la générosité d'un vieil homme, à qui elle faisait des « massages de la prostate ». Mais le vieil homme est parti : « Quatre-vingt-sept ans à Bellevue. » Moïse organise une réception afin de faire une annonce. Sa voix est si faible que le Narrateur, son ami, debout à côté d'elle, répète les mots qu'elle murmure à peine :

« Les choses sont devenues intenables dans mon univers. [...] Mon univers n'est pas du tout le vôtre, voyez-vous. [...] Je crois avoir vécu autrefois dans un univers plus proche du vôtre, je veux dire dans un univers de raison... »

Comme Christopher Flanders dans *Le train de l'aube ne s'arrête plus ici*, elle sombre dans un sentiment d'irréalité. Ses visions ne l'unissent plus au monde, mais l'en éloignent un peu plus chaque jour. Elle perd tout contact avec la réalité, tandis que sa sensibilité et son intelligence restent intactes.

Un soir, le Narrateur rencontre son double : un auteur démodé et usé, qui tente désespérément de regagner un succès perdu depuis longtemps. Le soir de la première d'une nouvelle pièce du vieil homme, celui-ci ne peut pas rester tout seul et s'accroche au jeune écrivain, qui le repousse, horrifié de reconnaître l'image pathétique de son avenir promis.

Pendant tout le roman, Tennessee Williams, le Narrateur, dialogue avec lui-même. Quand il est à bout de souffle, il n'achève pas ses phrases. Lorsqu'il manque de courage, il se redonne du cœur à l'ouvrage : « Repose-toi, respire, remets-toi si tu peux, le cri est encore *En avant* ! »

Parfois, il nous parle, à nous, lecteurs :

« À propos, qui êtes-vous ? Il me faut toujours être présenté au moins deux fois, car la panique qui s'empare de moi à une première rencontre avec quelqu'un m'empêche d'entendre son nom. »

Beaucoup de critiques ont écrit que *Moïse et le monde de la raison* était un roman raté, un texte faible et décousu. C'est en fait une œuvre essentielle dans laquelle toute la vie de Tennessee Williams défile devant ses yeux : provocante, poétique, émouvante. Une vie qui n'a jamais cessé de poser une question essentielle : « Où vit-on quand on est seul ? »

Tennessee rend de plus en plus fréquemment visite à sa sœur. Elle lui dit qu'elle aimerait bien aller en Angleterre, et quand il lui propose d'arranger un entretien avec la reine, elle lui répond tout naturellement : « Mais c'est moi, la reine d'Angleterre ! »

En mars 1965, Tenn écrivait déjà à Maria :

« Chaque fin de semaine, mon cousin m'emmène en

voiture voir Rose. La dernière fois, elle était dans un état euphorique et elle paraissait se prendre pour une reine, car, pendant tout le trajet pour aller dîner au restaurant, elle ne cessait de sourire, de saluer en faisant signe de la main, à droite et à gauche, à tous les gens que nous doublions sur l'autoroute. »

Il notera avec tendresse dans ses *Mémoires* : « ...lorsqu'on vit dans un monde de rêves, il est agréable d'en être la reine. »

Au cours de l'année 1975, Tenn travaille sur une pièce inédite, *The Red Devil Battery Sign*, dont la première a lieu le 18 juin au Schubert Theater de Boston, Massachusetts. La mise en scène est d'Erwin Sherin, avec Anthony Quinn dans le rôle de King Del Rey et Claire Bloom dans celui de Woman Downtown. La critique est très mauvaise et la pièce s'arrête après dix représentations.

Le 28 juin, Tennessee s'envole pour Rome.

Il rentre à New York en septembre, pour une reprise d'*Été et fumée*, le 16, au Roundabout Stage One, et une reprise de *La Ménagerie de verre*, le 18 décembre, au Circle in the Square, avec Maureen Stapleton dans le rôle d'Amanda.

C'est en décembre également que sont publiés les *Mémoires*. Ils deviennent rapidement la meilleure vente de la saison : en un après-midi, dans une librairie Doubleday, lors d'une séance de signatures, Tennessee Williams dédicace plus de 800 exemplaires de son livre !

Les *Mémoires* ont été beaucoup critiqués parce qu'ils évoquent les souvenirs plus « intimes » qu'artistiques de l'auteur. De plus, la chronologie des événements n'est pas fiable et la teneur des éléments relatés n'est pas toujours confirmée par les individus concernés. Donald Windham, dans l'introduction des lettres de Tennessee en 1976, écrit à propos du livre :

« Il n'y a probablement pas un épisode décrit dans les *Mémoires* qui ne soit pas plus ou moins survenu un jour, à quelqu'un, quelque part... »

Tennessee est avant tout un écrivain et un poète : il se souvient avec une extrême liberté.

Maria Saint Just, elle, les considérait comme un « torchon ». On la comprend. Tenn ne fait référence à elle qu'une seule fois, pour dire qu'il est très déçu par son comportement : elle ne répond plus à ses lettres et refuse de prendre ses communications téléphoniques.

Quant à Elia Kazan, il exprime ce que tout le monde pense vraiment :

« Aucun auteur, excepté Eugene O'Neill dans ses dernières pièces, n'a jamais été aussi personnel que Tennessee Williams. Ses œuvres théâtrales complètes peuvent être lues comme une autobiographie massive et bien plus véridique que le livre qu'il a intitulé *Mémoires*[1]. »

Tennessee a rédigé l'ouvrage en utilisant le procédé de « libre association d'idées » qu'il a appris en psychanalyse. Dans l'introduction, il fait une profession de foi qui n'étonnera personne :

« J'ai toujours écrit sous l'empire de nécessités plus profondes que ce que peut représenter le terme "professionnel". Et parfois, au détriment de ma

---

1. *Une vie, op. cit.*

carrière. [...] Sincèrement, je n'ai jamais eu d'autre choix que de devenir écrivain. »

Il disait aussi :

« La création peut revêtir deux formes : elle peut être organique ou non organique. Il est toujours possible de modifier ou d'altérer la nature d'une œuvre non organique – j'entends par là une œuvre qui ne résulte pas d'une nécessité aussi vitale pour son créateur que peuvent l'être les battements de son cœur ou sa respiration. »

*

Sixième partie

Une vie accomplie
(1976-1983)

« *Miss Rose, vous m'avez donné toute la poésie qui est dans mon âme* »

Au début de l'année 1976, Tennessee travaille à San Francisco sur une nouvelle pièce : *This Is (an Entertainment)*, dédiée à Maria Saint Just, à ce jour inédite. La première a lieu le 20 janvier au Geary Theater de Frisco, sous la direction d'Allen Fletcher, avec Elizabeth Huddle dans le rôle de la Comtesse et Ray Reinhardt dans celui du Comte. La pièce, qui n'est pas tout à fait terminée (work in progress [1]), ne convainc pas un public blasé.

En mars, Tenn est invité à présider le festival du film de Cannes. Il écrit à Maria :

« Il se peut que je revienne sur mon refus de ce curieux honneur qui m'est fait si je ne vois pas venir de meilleur prétexte pour partir en voyage. »

Au début de mai, il inaugure le 30ᵉ festival de Cannes dont la palme d'or revient cette année-là au film de Scorsese *Taxi Driver*. Tennessee descend à l'hôtel du Cap, au cap d'Antibes.

---

1. Présentation prématurée d'une œuvre inachevée.

Une vie accomplie

En juin, il est de retour à Key West. Comme d'habitude il se lève juste un peu avant l'aube, travaille jusqu'à huit ou neuf heures en buvant du café noir, nage, puis se recouche pour une petite sieste qu'il a pris l'habitude de faire depuis son sevrage brutal de 1969. Le soir, il sort. La nuit, il dort à peine quatre heures à l'aide de somnifères.

Le 23 novembre, reprise, au Morosco Theater, à New York, de la nouvelle version d'*Été et fumée*, *Eccentricities of a Nightingale*, écrite en 1951, dans une mise en scène d'Edwin Sherin. La critique est mauvaise.

Le 6 décembre, le film *Tennessee Williams'South* est programmé sur la PBS Television broadcasting. À la fin de l'année, les lettres de Tennessee Williams à Donald Windham sont publiées dans une édition confidentielle à Vérone (Italie), par Sandy Campbell. Elles seront reprises par Holt, Rinehart and Winston, en 1977, aux États-Unis.

Tennessee passe quelques jours de vacances aux îles Vierges. Il descend au Morning Star Beach Hotel de Saint Thomas, puis rentre à Key West pour se remettre au travail. Désormais, le studio d'écriture s'appelle « the mad house ».

Au début de l'année 1977, Tenn fait la navette entre son appartement de Dumaine Street à La Nouvelle-Orléans, et sa maison de Duncan Street à Key West. Il écrit deux nouvelles : *La Mère au pian* (Mother Yaws) et *Le Poulet tueur et la folle honteuse* (The Killer Chicken and The Closet Queen), ainsi que *Vieux Carré*, une pièce en deux actes, qui évoque l'année 1939 à Toulouse Street. La pièce sera montée le 11 mai au Saint James Theater de New York, sous la direction d'Arthur Allen, avec Richard Alfieri dans le rôle de l'Écrivain, Tom Aldredge dans le rôle du Peintre et Sylvia Sidney dans celui de Mrs Wire. Elle tiendra cinq jours.

Au cours de l'été de 1977, Tennessee est « dans un état de dépression tenace ». Il essaie à nouveau de rejoindre sa sœur à Stoney Lodge. Il va voir sa famille à Saint Louis et se réconcilie avec Dinky Dakin, qu'il soutient même dans sa énième campagne électorale pour le siège de gouverneur.

Le 19 janvier 1978 a lieu la première de *Tiger Tail*, une version théâtrale de *Baby Doll*, à l'Alliance Theater d'Atlanta (Géorgie), dans une mise en scène de Harry Rasky, avec Elizabeth Kemp dans le rôle de Baby Doll, Nick Mancuso dans celui de Silva, Thomas Toner dans celui d'Archie Lee et Mary Nell Santacroce dans celui de Tante Rose. La pièce est inédite.

Le 5 juin 1978, première production de *Creve-Cœur*, qui deviendra, en 1979, *A Lovely Sunday for Creve-Cœur*, au Spoleto Festival, à Charleston (Caroline du Sud). La mise en scène est de Keith Hack, avec Shirley Knight dans le rôle de Dorothea et Jan Miner dans celui de Bodey.

Tennessee passe l'été en Angleterre, à l'occasion, le 9 août, de la production londonienne de *Vieux Carré*, au Piccadilly Theatre, sous la direction de Keith Hack, avec Karl Johnson dans le rôle de l'Écrivain et Sylvia Miles dans celui de Mrs Wire.

À la fin de l'année 1978, Tennessee change pour la seconde fois d'agent : Bill Barnes laisse la place à Mitch Douglas.

Une vie accomplie

Le début de l'année 1979 a des allures de roman policier. L'Enfant terrible est désormais surnommé l'Andouille. Non seulement il se drogue, au grand désarroi de Tennessee, mais en plus, il deale. Le 1431 Duncan Street devient peu à peu la plaque tournante du trafic de drogue des Keys.

Tennessee, malgré son goût immodéré pour l'alcool et les médicaments, a toujours considéré avec effroi le haschisch, la cocaïne et l'héroïne. Quant aux acides et aux amphétamines, il ne se rend pas compte qu'il en a pris lui-même. Ce n'est pas tant leur effet qui l'effraie que leur illégalité. La série d'événements qui va suivre le fera décamper de Key West plus vite qu'il ne faut pour le lire : le 5 janvier, Franck Fontis (jardinier, architecte, gardien, ami) est retrouvé assassiné chez lui, à deux pas de Duncan Street. Pendant la perquisition de la maison de la victime, la police découvre une pile de manuscrits originaux de Tennessee Williams, qui lui ont été volés plusieurs années auparavant.

Les 8 et 14 janvier, la maison du 1431 Duncan Street est mise à sac par des inconnus, probablement des « amis » de Robert Carroll. Tennessee s'envole pour New York.

Le 21 janvier a lieu la première d'*A Lovely Sunday for Creve-Cœur*, au Hudson Guild Theater, sous la direction de Keith Hack, avec Shirley Knight dans le rôle de Dorothea et Peg Murray dans celui de Bodey. C'est un échec. La pièce tient trente-six représentations.

Le 14 février, Tennessee s'envole pour Long Beach (Californie), pour une reprise de *The Eccentricities of*

« Miss Rose, vous m'avez donné toute la poésie... »

a Nightingale. Il rentre à Key West en avril. Il travaille *Clothes for a Summer Hotel,* une pièce en deux actes sur Scott et Zelda Fitzgerald. Pendant l'été, il écrit *Kirche, Kutchen*[1] *and Kinder : an Outrage for The Stage,* dans laquelle il fait encore et toujours référence à sa sœur Rose :

« Miss Rose, vous m'avez donné toute la poésie qui est dans mon âme. »

Il écrit à Maria que sa sœur a envoyé une lettre à leur grand-mère, décédée depuis trente-cinq ans :

« Chère Grande. J'espère que tu n'es pas morte. L'ai entendu dire. »

Pendant l'été et l'automne de 1979, Tennessee est à New York, entre un appartement au Manhattan Plaza et une suite à l'Élysée Hotel. Il achète une seconde maison à Key West (915 Van Phister Street) pour sa sœur Rose et essaie, pour la seconde fois, de la faire sortir de l'institut, si confortable soit-il, où elle est pensionnaire. Il demande à une cousine, Stell Adams, d'aller chercher Rose à Stoney Lodge et de s'installer avec elle dans sa nouvelle maison. L'expérience dure un an. Rose a besoin de soins médicaux constants. Tenn échoue pour la seconde fois dans sa tentative de sauvetage.

Le 2 décembre, Tennessee Williams, en compagnie d'Henry Fonda, de Martha Graham, d'Ella Fitzgerald et d'Aaron Copland, reçoit un prix des mains du président Carter, au Kennedy Center, à Washington, pour sa contribution aux arts. Maria Saint Just, invitée par son ami, témoigne d'une anecdote caracté-

---

1. Tennessee Williams a fait une faute : au lieu de Kutchen, il aurait dû écrire Küchen.

ristique du comportement de Tennessee. Ella Fitzgerald, profondément émue par la cérémonie, éclate en
sanglots. Tenn, assis à côté d'elle, lui prête son
mouchoir. Elle le lui rend quelques minutes plus tard,
taché de mascara. Tennessee se retourne bouleversé
vers Maria et lui murmure : « Regarde, même ses
larmes sont noires. Il faut que je conserve toujours ce
mouchoir. » À la fin de la remise des prix, Elia Kazan
prononce un discours très élogieux sur Tennessee, la
salle se lève et lui fait une ovation.

Au début de 1980, les répétitions de *Clothes for a
Summer Hotel* démarrent à New York. Elles sont très
douloureuses : problèmes d'argent pour la production
et angoisse de l'auteur qui reste enfermé toute la
journée chez lui et refuse de promouvoir la pièce
auprès des journalistes. Il semblerait que les visites de
Scott à Zelda Fitzgerald dans un asile psychiatrique
ressemblent trop aux visites de Tenn à Rose. Zelda
n'en peut plus :

« Je ne suis plus ton livre ! Je ne peux plus être ton
livre ! Écris-toi un autre livre ! »

Le 24 janvier, Tennessee descend à Key West pour
l'ouverture du Tennessee Williams Fine Arts Center
qui produit, pour l'occasion, une pièce en deux actes
de 1969, inédite, *Will Mr Merriweather Return from
Memphis ?*

En février, une avant-première de *Clothes for a
Summer Hotel* est donnée à Chicago. Le metteur en
scène, José Quintero, se souvient d'avoir vu Tennessee Williams, le lendemain de la première après la
parution des critiques, sortir de son hôtel, à l'aube,
sous la neige, tout seul, et aller s'asseoir sur les

« Miss Rose, vous m'avez donné toute la poésie... »

marches de l'institut artistique de la ville. Quand il s'est approché et lui a demandé ce qu'il faisait là, Tennessee a répondu : « J'attends qu'ils ouvrent parce que je pense qu'ils doivent avoir une piscine. C'est un endroit pour les artistes où je peux reprendre mon souffle pour continuer à vivre. »

La première new-yorkaise de *Clothes for a Summer Hotel* a lieu le 26 mars, au Cort Theater, sous la direction de José Quintero, avec Kenneth Haigh dans le rôle de F. Scott Fitzgerald et Geraldine Page dans celui de Zelda. Tennessee fête ses soixante-neuf ans sous les applaudissements du public. Mais la critique reste désespérément négative. Pour couronner le tout, le très mauvais temps et une grève des transports ont raison des représentations qui s'interrompent le 16 avril.

Tennessee Williams ne verra plus aucune de ses pièces sur une scène de Broadway.

*

Une vie accomplie

En 1973, Tennessee Williams a écrit une nouvelle, *Completed* (*Une vie accomplie*[1]). C'est l'histoire d'une jeune fille, Rosemary McCool, qui « semblait destinée à glisser à travers le monde comme une créature qu'on ne voyait ni n'entendait ». À vingt ans, elle n'a toujours pas ses règles, et sa mère la regarde avec « une expression d'ennui et de déception, sinon de chagrin personnel ». Après un bal, au cours duquel elle s'est ridiculisée et a raté ses débuts dans la société, Rosemary se réfugie chez sa tante Ella, une vieille dame hors du monde, chez qui tout est doux, « les lumières, les lits, les voix ».

Completed est la suite logique de *Portrait d'une jeune fille en verre*. Trente ans séparent les deux nouvelles. Tennessee a beaucoup changé, il a fait du chemin. Rose n'a pas bougé et, pourtant, ils se rejoignent. Comme si Tom était revenu d'un long voyage qui, de toute façon, l'aurait ramené à sa sœur.

---

1. Cette nouvelle a été traduite en français par : *Une vie achevée.*

Une vie accomplie

Un jour Rose envoya une carte postale à son frère, au dos de laquelle était écrit :

« Dites à Tom que je l'aime tant ; il m'a volé mon cœur dans les temps obscurs. »

Quel secret donne tant de talent à ce petit homme fragile et douloureux ? Quels souvenirs porte-t-il en lui qui le différencient des autres auteurs de sa génération ? Quelle est cette force souterraine qui l'accompagnera jusqu'à la fin de sa vie ? Jamais, *jamais* il ne s'est économisé. Jamais il n'a opposé la moindre résistance aux puissances obscures qui l'habitaient. Le talent, le don, sont souvent perçus par les artistes comme une malédiction. La damnation serait-elle la condition première de la création ? Un créateur est toujours un insatisfait. Un homme satisfait ne pense pas que le monde puisse être différent. L'insatisfait, lui, éprouve le besoin de re-créer les choses, les gens, jusqu'à ses propres souvenirs.

À travers cette re-création, il atteint la seule vérité qui soit la sienne : le regard lucide et détaché de l'artiste qui voit tout, sent tout, entend tout. Le regard de celui qui a le courage de s'exprimer, de « sortir de soi ». Évidemment, il prend des risques car « toute vérité est un scandale [...] et tout art, une imprudence ».

Parfois l'homme insatisfait fera des enfants pour réparer son existence en souffrance. C'est une attitude d'acceptation. L'homme reproduit sa propre existence insatisfaite qu'il décore d'espoirs dont il charge sa descendance. C'est une chance pour lui, un drame pour sa progéniture. Le révolté, lui, remet en question jusqu'à l'existence du monde dans lequel il est né. Et même s'il souhaite, au plus profond de son cœur et de son âme, que quelqu'un lui succède, il y renonce par sincérité, parfois dans un esprit de sacrifice. Tennessee Williams avait envisagé de faire inséminer artificiellement une dame de ses amies quand il vivait « maritalement » avec Franck Merlo. Il abandonna l'idée. Il avait d'autres responsabilités, un autre destin à accomplir, qui se poursuivra non par une descendance de chair et de sang, mais à travers une œuvre personnelle devenue universelle.

Il a consacré sa vie à transcrire le chuchotement des fantômes de notre conscience, à peindre les ombres de notre bonne volonté, à photographier nos arrangements, à mettre en musique nos enchantements. C'est une œuvre d'amour, une œuvre capable d'une grande compassion, sans complaisance ni dissimulation. Cet acte de création n'est pas gratuit. Il faut en payer le prix. Tennessee Williams est un génie, il a payé le prix fort : le cœur de son unique amour, le cœur de Rose, source et conséquence de son immense bonheur à écrire, source et conséquence de son immense difficulté à vivre.

*

« Baby, this is my last play ! »

Le 1ᵉʳ juin 1980, Edwina Dakin Williams disparaît, à l'âge de quatre-vingt-quinze ans. Tennessee lui en voulait de l'avoir monté contre son père et d'avoir détruit sa sœur. S'il l'aimait beaucoup, il ne pouvait pas la supporter plus de quinze minutes. Edwina préférait les violettes aux roses, Tenn en commande plusieurs douzaines en Angleterre, pour recouvrir son cercueil. Violette : l'inscription sur sa tombe ; le prénom du personnage principal de *Soudain l'été dernier* qui envisage une lobotomie sur la jeune Catharine...

Quelques jours après l'enterrement à Saint Louis, Tennessee reçoit du président Carter la médaille de la Liberté.

Pendant l'été, il part avec son ami peintre Henry Faulkner pour l'Europe. Il écrit une pièce inédite : *The Everlasting Ticket* dédiée au dramaturge britannique assassiné par son amant, Joe Orton.

À l'automne : reprise au Canada de *The Red Devil Battery Sign*. Tenn n'assiste pas à la première. Il disparaît, d'abord à San Francisco, puis à New York. Il n'ouvre plus son courrier, ne répond plus au téléphone, n'accepte la visite de personne.

À Noël, il retourne à Key West. Il écrit sa dernière pièce, inédite : *Something Cloudy, Something Clear*[1].

Le 30 avril 1981, Audrey Wood a une grave attaque : elle sombre dans un coma dont elle ne sortira pas jusqu'à sa mort, officielle, en décembre 1985.

Le 24 août, Tennessee assiste à la dernière production new-yorkaise de son ultime pièce, *Something Cloudy, Something Clear*, off Broadway, sous la direction d'Eve Adamson, avec Craig Smith dans le rôle d'August et Elton Cormier dans celui de Kip.

À l'automne, il apprend la mort de son ami Oliver Evans qui souffrait d'une tumeur au cerveau depuis de nombreuses années.

En janvier 1982, Tenn commence une pièce, qu'il n'aura pas le temps de terminer : *A House Not Meant to Stand* (inédite). Il travaille également sur une libre adaptation de sa pièce préférée, *La Mouette*, de Tchekhov, intitulée : *Les Carnets de Trigorine*. Il écrit un texte inédit : *The Negative*.

Pendant l'été, il voyage en Europe. Le magazine *Antaeus* publie une nouvelle écrite quelques années auparavant : *Das Wasser ist Kalt*.

---

1. Cette pièce évoque probablement l'été 1940 à Provincetown, Tennessee en avait gardé un souvenir que rappelle le titre de l'œuvre : « Mon œil gauche était nuageux parce qu'il développait une cataracte, mais mon œil droit était clair. C'était comme les deux côtés de ma nature. Le côté qui était, de façon obsédante, homosexuel par besoin, obsédé par la sexualité, et le côté qui, à cette époque, était gentil, compréhensif et contemplatif. »

De plus, un des personnages de *Something Cloudy, Something Clear*, porte le prénom de Kip...

« Baby, this is my last play ! »

En septembre, il est de retour à Key West. Sa gouvernante Leoncia McGee s'inquiète de son état de santé. Il mange peu et dort tout le temps. Un matin, il prend un bus jusqu'à Key Largo, s'arrête dans un bar. Il commande à boire. Un jeune couple l'invite à sa table : Mr et Mrs Steven Kune, de New York. Il décline simplement : « Tennessee Williams, appelez-moi Tom. » Il a l'air perdu. Le jeune couple lui demande ce qu'il fait là, il répond qu'il attend un bus pour rentrer à Key West. Ils proposent de le raccompagner. Tenn accepte et, en cadeau, offre au jeune marié, apprenti écrivain, une machine à écrire Underwood des années 40 :

« Je ne m'en sers presque plus. Je l'ai utilisée pour *Été et fumée* et *La Chatte sur un toit brûlant*. Elle a besoin d'un nouveau ruban, et, peut-être, d'un peu d'huile. Je ne pensais pas que je lui trouverais une place si rapidement. »

En décembre, Tennessee est retrouvé déshydraté, dans un état comateux, par Leoncia McGee qui prévient aussitôt Dakin. Il est resté trois jours sans manger ni boire. Après une nuit d'hôpital, il part se reposer à New York chez son amie Jane Smith, puis descend à La Nouvelle-Orléans pour vendre l'appartement de Dumaine Street.

Au début de février 1983, Tenn est à New York avec son compagnon du moment, John Uecker. Le 11, il est en Sicile, au San Domenico Palace Hotel de Taormina, seul. Cherche-t-il, comme il en parlait depuis longtemps, une petite ferme pour élever des chèvres et des oies ? Il rentre cinq jours plus tard à New York, Élysée Hotel. Dans la nuit du 24 au

25 février, il s'étouffe avec le bouchon d'un tube de médicament. On retrouve son corps au matin.

Il venait d'envoyer une carte postale à sa sœur :

« Chère Rose, je viendrai te voir bientôt. Affectueusement, ROSE » (*sic*).

Deux âmes séparées qui se rejoignent dans l'esprit du poète. Pour la première fois, le petit frère est plus rapide que sa grande sœur.

« Nous ne nous touchions jamais les mains, sauf lorsque nous dansions ensemble [...] Et cependant, notre amour était et est resté le plus profond que nous ayons connu, elle et moi, de toute notre vie[1]. »

*

---

1. *Mémoires, op. cit.*

Épilogue

New York, lundi 24 février 1992. Le ciel est gris et les immeubles sont jaunâtres, voire même marron. Chambre 614, Washington Square Hotel, il y a sûrement pis. Pour cent dollars la nuit, la douche goutte à goutte et le dessus-de-lit est taché. La fenêtre à guillotine est coincée et laisse entrer les aboiements des chiens et les sirènes des voitures de police. Ou des ambulances. Ou les deux.

Évidemment, il y a des mouettes à New York. On les entend à l'aube, juste avant les chiens.

Je bois un café américain, léger à volonté, mange deux œufs et des pommes de terre sautées avec des oignons. Je me suis sali les mains dans une brocante sur la 6e Avenue, à Chelsea. Je suis montée en haut de l'Empire State Building. J'ai rencontré un jeune Autrichien qui ressemblait à Paul Newman. Il m'a payé à boire jusqu'à ce que je l'invite à dîner.

Vingt-trois heures, heure locale. Élysée Hotel, 54e Rue, 60 Est, Monkey Bar. Des singes peints sur les murs, des banquettes en cuir marron usé, une ambiance feutrée plutôt européenne, de vieux serveurs qui se déplacent lentement. Un pianiste aux cheveux blancs joue du jazz doucement. Un immense miroir est accroché derrière lui, qui reflète ses mains sur le clavier. Le miroir est encadré de bambous épais. Un micro est suspendu au-dessus de la tête du pianiste. Il ne chante pas.

Un vieux serveur s'approche de moi et, tandis que je griffonne quelques impressions sur une serviette en papier, me demande si je suis en train d'écrire un roman. Je lui réponds que non, que je travaille sur un livre en hommage à Tennessee Williams. Il ouvre grands ses yeux et me dit :

« Savez-vous qu'il avait l'habitude de vivre ici ? »

Je hoche la tête en souriant.

« Il est mort ici, poursuit-il. C'est moi qui l'ai servi ce soir-là. »

Je tremble et renverse un peu du contenu de mon verre sur le dos de ma main. Le vieux serveur, conscient d'avoir rencontré une interlocutrice passionnée par le récit de ses souvenirs, s'assoit et continue son histoire :

« Il avait bu beaucoup, comme tous les soirs où il restait au bar de l'hôtel tard, avant de monter dans sa chambre. Souvent, nous ne restions ouverts que pour lui. Il avait bu du vin, deux ou trois bouteilles. Il buvait surtout du vin à la fin de sa vie. Il m'avait expliqué qu'auparavant il préférait le gin ou le whisky, mais qu'il ne les supportait plus. Il ne tenait pas debout. Il était assis là... dans le coin. Je l'ai aidé à regagner sa chambre. Je crois qu'un jeune homme l'accompagnait, mais il n'est pas resté. Il avait l'air de mauvaise humeur. Mr Williams ne semblait pas s'en préoccuper. Je l'ai laissé dans sa chambre et je suis redescendu au bar. Quelques minutes plus tard, il appelait pour qu'on lui monte une autre bouteille de vin ! Le lendemain matin, vers dix heures, quand la femme de chambre a frappé, il n'a pas répondu. Elle s'est inquiétée, parce qu'à cette heure il était toujours debout, en train de travailler, et avait l'habitude de lui faire la conversation pendant qu'elle nettoyait sa chambre. Elle appela la réception. On ouvrit la porte. Il était étendu dans la salle de bains. Le soir du 25 février, quand je suis venu prendre mon service, il y avait une grande agitation dans l'hôtel. La police était là, la chambre et les affaires de Mr Williams avaient été mises sous scellés. On parlait d'assassinat, d'overdose, de suicide. Je me souviens que les policiers étaient très fiers de s'occuper de cette affaire. »

Le vieux serveur reste un moment sans parler, puis il se lève en disant :

« J'espère que vous gagnerez beaucoup d'argent avec votre livre ! »

Mardi 25 février 1992. J'ai déjeuné à Greenwich Village, au coin de Bleecker Street et de la 7ᵉ Avenue. Je suis montée du sud au nord. J'ai photographié des camions, des escaliers de secours, des distributeurs de journaux, des delicatessen, des coffee-shops et des camions. Le café est mauvais, si on ne commande pas un expresso. La viande est excellente. Les frites sont énormes. Les pommes de terre se mangent avec la peau. Un litre d'eau minérale coûte deux dollars. Dans un verre de soda, il y a plus de glace pilée que

de soda. Les enfants se comportent comme des
adultes. Les Noirs portent tous quelque chose sur la
tête : bonnet, capuche, chapeau, casquette. Ce que je
préfère aux États-Unis, ce sont les sacs en papier
marron recyclé, avec un faible pour les mini-sacs en
papier marron recyclé qui servent à camoufler les
canettes de bière.

Je quitte Greenwich Village qui ressemble comme
un frère au quartier de Kreuzberg, à Berlin, et
remonte jusqu'à Time Square, puis à Central Park.
C'est un énorme trou caillouteux avec des arbres gris
comme de vieilles femmes amaigries. Tout autour, de
beaux immeubles à l'architecture hétéroclite. Il y a un
zoo dans Central Park, je l'ai soigneusement évité. J'ai
dîné dans un restaurant indien « non fumeurs » qui ne
servait que du thé glacé avec une bande de freaks.
Tous anonymes, ex-alcooliques. Il y avait un géant
blond aux cheveux longs, un bûcheron ? Deux musi-
ciens noirs, plutôt jolis garçons. Une vieille peau
flétrie prématurément. Une fille ronde, immense,
Monstre sans cou, ai-je pensé. Deux yuppies gras à
lunettes, cravatés. Un Tunisien égaré qui n'a rien
mangé. Un saxophoniste juif maigrichon et une fémi-
niste dans une robe à pompons.

Élysée Hotel, Monkey Bar, vingt-trois heures,
heure locale. Le vieux serveur me sourit et m'installe
à la table du coin. Il va me chercher une bouteille de
vin.

Je le vois à toutes les tables, avec sa petite mousta-
che et ses cheveux châtains en épis. Ses yeux clairs
cachés derrière d'épaisses lunettes presque carrées.
Son fume-cigarette et son rire. Son espèce de rire

saccadé, bizarrement aigu, étonnamment strident. Je le vois, la tête renversée en arrière, riant, riant, jusqu'à s'en décrocher la mâchoire, et puis toussant un peu. Il écrase sa cigarette, boit une gorgée de vin. Il est accompagné d'une femme de son âge, une vieille actrice de théâtre, et d'un jeune homme bien bâti. La femme parle sans cesse. Le jeune homme a l'air de s'ennuyer. Tenn n'écoute pas, il ne regarde pas. Il rit.

Le vieux serveur s'octroie cinq minutes de repos et s'assied à ma table. Je lui sers un verre de vin et lui offre une cigarette. Il accepte les deux.

Nous parlons de Tennessee. Il se ressert un verre, allume une seconde cigarette et me demande :

« Vous l'avez vu quand pour la dernière fois ? »

Je lui fais répéter sa question. Il insiste :

« Vous l'avez vu quand pour la dernière fois ? »

Je ne peux pas m'empêcher d'éclater de rire.

*

Annexes

Chronologie

1907 juin : Edwina Estelle Dakin épouse Cornelius Coffin (C.C.) Williams.

1909 novembre : Séparation d'Edwina et de C.C. Naissance de Rose Isabel Williams à Columbus (Mississippi).

1911 26 mars : Naissance de Thomas Lanier Williams (du nom de son grand-père mort en 1908) à Columbus.

1913 : Rose et Thomas vivent avec leur mère chez leurs grands-parents maternels, le révérend Walter Edwin Dakin et sa femme, Rosina Otte Dakin, à Nashville (Tennessee).

1915 : Ils emménagent à Clarksdale (Mississippi).

1917 : Thomas tombe gravement malade : diphtérie.

1918 : Retour de C.C., qui emmène sa famille à Saint Louis (Missouri).

1919 février : naissance de Walter Dakin Williams à Saint Louis.

241

1928 : Thomas publie sa première nouvelle, *La Vengeance de Nitocris*, dans le magazine *Weird Tales*. Voyage en Europe avec le révérend.

1929 : Thomas entre à l'université du Missouri, Columbia.

1934 juin à

1935 avril : Thomas quitte l'université et travaille à l'International Shoe Company.
Il tombe malade pour la seconde fois et va se reposer chez ses grands-parents, à Memphis (Tennessee).
Septembre : il entre à la Washington University de Saint Louis.

1937 juin : il se fait renvoyer de la Washington University.
Septembre : il intègre l'université de l'Iowa. *Rose Isabel subit une lobotomie préfrontale.* Thomas obtient sa licence de journalisme.

1938 : Thomas part pour La Nouvelle-Orléans (Louisiane). Il vit dans le Vieux Carré, au 431 Royal Street.

1939 : Tennessee aménage au 722 Toulouse Street.
Mars : Départ pour la Californie avec Jim Parrot.
Le 20, Tenn reçoit un prix spécial de cent dollars du Group Theater de New York, pour son recueil de pièces en un acte, *American Blues*.
Mai : Départ pour le Mexique avec Jim.
Juillet : Tennessee signe un contrat avec Audrey Wood, qui restera son agent littéraire jusqu'en 1971.

Août : Tenn rencontre la veuve de D.H. Lawrence,
Frieda, à Taos (Nouveau-Mexique).
Septembre : Tennessee est à Saint Louis.
Octobre : Il monte à New York.
1940 janvier à mai : New York.
Juin à août : Provincetown (Massachusetts).
Septembre : Mexico.
Octobre : Saint Louis. 53 Arundel Place, Clayton.
Novembre : New York.
Décembre : Boston. Le 30, première de *La Bataille
des anges*.
1941 janvier : New York, première opération de l'œil
gauche.
Février-mars : Key West (Floride).
Avril-mai : Saint Louis, Arundel Place.
Juin : New York.
Juillet : Nouvelle-Angleterre.
Août : New York, chez Paul Bigelow.
Septembre-octobre : La Nouvelle-Orléans.
Novembre : Saint Louis. Rosina Otte, « Grande »,
tombe gravement malade. Tennessee reste auprès
de sa grand-mère jusqu'au mois de février 1942.
1942 mars-avril-mai : Tennessee est à New York.
Juin-juillet : il est à Macon (Géorgie), chez Paul
Bigelow.
Août-septembre-octobre : Jacksonville (Floride).
Job de nuit à l'US Engineers Office (War Depart-
ment).
Novembre à
1943 mars : New York.
avril : Saint Louis.

Mai à novembre : 1647 Ocean Avenue, Santa Monica (Californie). Contrat avec la Metro-Goldwin-Mayer.

13 octobre : Première de *You Touched Me !* à Cleveland (Ohio).

Décembre : Noël à Saint Louis.

1944 janvier : mort de Rosina Otte Dakin à Saint Louis.

Février : Saint Louis.

Mars-avril : New York.

Mai : Fire Island, Ocean Beach.

Juin à octobre : Provincetown. (Massachusetts).

Novembre : Saint Louis.

26 décembre : Première de *La Ménagerie de verre*, à Chicago.

1945 31 mars : Première new-yorkaise de *La Ménagerie de verre*.

Avril-mai : New York. Tennessee subit une deuxième opération de l'œil gauche.

Juin-juillet : Mexique.

Août : Dallas, chez Margo Jones.

25 septembre : Première new-yorkaise de *You Touched Me !*

Octobre-novembre : New York.

Décembre : La Nouvelle-Orléans, hôtel Pontchartrain.

1946 janvier à mars : La Nouvelle-Orléans, 710 Orléans Street.

Avril : Saint Louis.

Mai : Holy Cross Hospital de Taos.

Juin-juillet-août : Nantucket Island, avec Carson McCullers.
Septembre à décembre : La Nouvelle-Orléans, Saint Peter Street.

1947 janvier à mars : Key West, La Concha Hotel.
Avril-mai : New York.
Juin : Provincetown. Tennessee rencontre Franck Merlo.
Juillet : Beverly Hills, L.A. (Californie). Tennessee rencontre Irene Selznick.
Août-septembre : Provincetown.
3 décembre : Première d'*Un tramway nommé Désir* à New York.

1948 janvier : Paris, hôtel Lutetia.
Février à juin : Italie, Rome, via Aurora 45.
Juillet : Tennessee rencontre Maria Britneva à Londres. Retour à Paris, hôtel de l'Université.
Août : Tennessee retrouve Franck Merlo à New York.
6 octobre : Première new-yorkaise d'*Été et fumée*.
Novembre : Saint Louis.
Décembre : Départ en Europe avec Franck.

1949 janvier à août : Europe. Rome, Naples, Londres.
Septembre-octobre : New York.
Novembre-décembre : 1431 Duncan Street, Key West.

1950 janvier à avril : Key West, Duncan Street.
À partir de 1950, Tennessee Williams vit entre Key West (le plus souvent en hiver), l'Europe (le plus souvent en été), La Nouvelle-Orléans et New York.

1951 3 février : Première new-yorkaise de *La Rose tatouée*.

1952 24 avril : Première new-yorkaise d'*Été et fumée*.

1953 19 mars : Première new-yorkaise de *Camino Real*.
Mai : Tennessee met en scène *The Starless Air*, de Donald Windham, à Houston (Texas).

1954 3 novembre : Début du tournage des extérieurs du film *La Rose tatouée*, à Key West.

1955 février : Mort du révérend Walter Edwin Dakin, à Saint Louis.
· 24 mars : Première new-yorkaise de *La Chatte sur un toit brûlant*.
Juillet : Mort de Margo Jones.

1956 18 décembre : Première du film *Baby Doll*.

1957 21 mars : Première new-yorkaise de *La Descente d'Orphée*. Le 27 : Mort de C.C. Williams.

1958 juin : Début d'une analyse freudienne avec le Dr Kubie à New York.

1959 10 mars : Première new-yorkaise du *Doux Oiseau de la jeunesse*.

1961 29 décembre : Première new-yorkaise de *La Nuit de l'iguane*.

1963 16 janvier : Première new-yorkaise du *Train de l'aube ne s'arrête plus ici*.
Septembre : Mort de Franck Merlo au Memorial Hospital de New York.

Chronologie

1964-1965 : Tennessee Williams est entre les mains de Max Jacobson, dit le Dr « Fell Good ».

1966 mars : Publication, dans *Esquire*, de la pièce en un acte, *I Can't Imagine Tomorrow*.

1967 septembre : Mort de Carson McCullers.
12 décembre : Première londonienne de *The Two Characters Play*.

1968 27 mars : Première new-yorkaise de *Seven Descents of Myrtle* ou *Kingdom of Earth*.

1969 janvier : Conversion au catholicisme, à Key West.
11 mai : Première new-yorkaise de *In a Bar of a Tokyo Hotel*.
Automne : Sevrage au Barnes Hospital de Saint Louis.

1970 avril : Mort de Marion Vaccaro.
Août à décembre : voyage en Asie avec Oliver Evans.

1971 8 juillet : Première d'*Out Cry*, à Chicago. Rupture avec Audrey Wood. Bill Barnes devient l'agent de Tennessee Williams.
1er octobre : Première parisienne du *Doux Oiseau de la jeunesse*.

1972 2 avril : Première new-yorkaise de *Small Craft Warning*.
Août : Tennessee est membre du jury du festival du film de Venise.
Septembre : il rencontre Robert Carroll à New York.

1973 mai : Mort de Jane Bowles à Malaga (Espagne).
Juin : Mort de William Inge.
Septembre : Mort d'Anna Magnani à Rome.

1975 18 juin : Première de *The Red Devil Battery Sign*, à Boston.

1976 20 janvier : Première de *This Is (an Entertainment)*, à San Francisco.
Mai : Tennessee Williams est président d'honneur du 30ᵉ festival du film de Cannes.
23 novembre : Reprise à New York de la nouvelle version d'*Été et fumée* : *Eccentricities of a Nightingale*

1977 11 mai : Première new-yorkaise de *Vieux Carré*.

1978 19 janvier : Première de *Tiger Tail*, à Atlanta (Géorgie).
5 juin : Première de *Creve-Cœur*, au Spoleto Festival de Charleston (Caroline du Sud).

1979 janvier : Mitch Douglas devient l'agent de Tennessee Williams. Assassinat de Franck Fontis à Key West et cambriolages de la maison du 1431 Duncan Street. Le 21 : Première new-yorkaise de *A Lovely Sunday for Creve-Cœur* (seconde version).

1980 janvier : Ouverture du Tennessee Williams Fine Arts Center, à Key West.
26 mars : Première new-yorkaise de *Clothes for a Summer Hotel*.
Juin : Mort d'Edwina Dakin Williams.

1981 avril : Coma définitif d'Audrey Wood (décédée officiellement en 1985).
24 août : Dernière production new-yorkaise, off

Broadway, avec *Something Cloudy, Something Clear.*

Automne : Mort d'Oliver Evans.

1983 février : Voyage éclair en Italie, Taormina (Sicile). Retour à New York le 16. *Dans la nuit du 24 au 25 : Mort de Tennessee Williams à l'Élysée Hotel, New York.*

Bibliographie

Domaine français

Éditions Robert Laffont :

4 volumes de théâtre :

TOME I (1958) : *La Rose tatouée, La Ménagerie de verre, Un tramway nommé Désir, La Chatte sur un toit brûlant, Été et fumée* :

TOME II (1962) : *La Descente d'Orphée, Soudain l'été dernier, Portrait d'une Madone, Propriété condamnée, Parle-moi comme la pluie et laisse-moi écouter, Baby Doll, Le Long Séjour interrompu, 27 Remorques pleines de coton.*

TOME III (1972) : *Le Doux Oiseau de la jeunesse, La Nuit de l'iguane.*

TOME IV (1972) : *Le train de l'aube ne s'arrête plus ici, Le Paradis sur terre.*

Une femme nommée Moïse (roman) 1975.

Mémoires. Collection « Vécu » 1978.

Toutes ses nouvelles. 1989. (Traduction de « Collected Stories », Londres : Martin Secker & Warburg Ltd 1986. Londres : Pan Books, Picador Classics 1988).

Parues le 26 novembre 1991 : *Lettres de Tennessee Williams à Maria Saint Just.*

Bibliographie

*

Poèmes : *Dans l'hiver des villes*. Seghers 1964.

Roman : *Le Printemps romain de Mrs Stone*. Plon 1951.

*

Librairie théâtrale. Collection « Éducation théâtre ».
- *La Rose tatouée.*
- *Propriété condamnée.*
- *Portrait d'une Madone.*
- *La Ménagerie de verre.*
- *La Descente d'Orphée.*
- *Parle-moi comme la pluie et laisse-moi écouter.*
- *Le Long Séjour interrompu* (ou : *Le dîner qui laisse à désirer*).
- *27 Remorques pleines de coton.*
- *La Chatte sur un toit brûlant.*
- *Soudain l'été dernier.*
- *Un tramway nommé Désir.*

Editions de poche.

Christian Bourgois éditeur. Collection 10/18 :

- *Le Printemps romain de Mrs Stone* (roman).
- *La Quête du chevalier* (nouvelles)
- *Une femme nommée Moïse* (roman)
- *Sucre d'orge* (nouvelles)
- *Le Boxeur manchot* (ou : *La Statue mutilée*) (nouvelles).
- *Le Poulet tueur et la folle menteuse* (*Toutes ses nouvelles*, 1992).

Annexes

Le Livre de Poche :

– *Un tramway nommé Désir*, suivi de : *La Chatte sur un toit brûlant.*
– *La Statue mutilée.*
– *Baby Doll.*

*

L'Avant-Scène Théâtre, n° 897. 1ᵉʳ novembre 1991 : *Été et fumée.*

La Descente d'Orphée (nouvelle traduction). Édition L'Atalante 1992. Collection « La chamaille ».

Domaine anglo-saxon

New York / New Directions :

– *27 Wagons Full of Cotton and Others Plays* 1945.
– *A Streetcar Named Desire* 1947.
– *Summer and Smoke* 1948.
– *The Rose Tattoo* 1951.
– *Camino Real* 1953.
– *Cat in a Hot Tin Roof* 1955.
– *Orpheus Descending* 1958.
– *Suddenly Last Summer* 1958.
– *Sweet Bird of Youth* 1959.
– *Period of Adjustment* 1960.
– *The Night of The Iguana* 1962.
– *The Milktrain Doesn't Stop Here Anymore* 1964.
– *The Eccentricities of a Nightingale* 1964.
– *Dragon Country* 1970.
– *Kingdom of Earth* 1968.
– *Out Cry* 1969.
– *Small Craft Warnings* 1972.

Bibliographie

- *A Lovely Sunday for Creve-Cœur* 1978.
- *Vieux Carré* 1979.
- *Clothes for a Summer Hotel* 1983.

Poèmes

- *In The Winter of Cities* 1956.
- *Androgyne, mon amour* 1977.

Roman

- *The Roma Spring of Mrs Stone* 1950.

Nouvelles

- *On Arm and Others Stories* 1948.
- *Hard Candy* 1954.
- *The Knightly Quest : a novella and four short stories* 1966.
- *Eight Mortal Ladies Possessed* 1974.

New York / Dramatists Plays Service :

- *The Glass Menagerie. American Blues* 1948, 1968.
- *Battle of Angels* 1975.

New York / Simon & Schuster :

- *Moïse and The World of Reason* 1975.
- *It Happened The Day The Sun Rose and others stories* 1982.

Annexes

New York / A. Knopf :

– *Five O'Clock Angel. Letters of Tennessee Williams to Maria Saint Just* 1989.

New York / Holt, Rinehart dans Winston :

– *Tennessee Williams' Letters to Donald Windham* 1977.

*

Filmographie

La Ménagerie de verre, d'Irving Rapper, 1950. Tennessee détestait ce film doté d'un happy end ridicule et farci d'extérieurs inutiles.

Un tramway nommé Désir*, d'Elia Kazan, 1951. Avec Marlon Brando dans le rôle de Stanley Kowalski, Vivien Leigh dans le rôle de Blanche Du Bois, Kim Hunter dans le rôle de Stella Kowalski et Karl Malden dans celui d'Harold Mitchell. Lorsque Kazan s'est décidé à mettre en scène au cinéma la pièce qu'il avait montée à Broadway, il a d'abord écrit un script plein d'extérieurs, très différent de la version théâtrale. Finalement, il choisit de filmer la pièce telle qu'il l'avait travaillée sur les planches. La distribution fut inchangée, mis à part évidemment Jessica Tandy qui laissa sa place à l'éternelle Blanche Du Bois, irremplaçable, inimitable Vivien Leigh.

Senso, de Luchino Visconti, 1954. Le scénario a été adapté d'une nouvelle de Camillo Boito, mais les dialogues (anglais) sont de Paul Bowles et Tennessee Williams.

La Rose tatouée*, de Daniel Mann, 1955. Avec Anna Magnani dans le rôle de Serafina Delle Rose (écrit spécialement pour elle mais créé au théâtre par Maureen Stapleton) et Burt Lancaster dans celui d'Alvaro. Une comédie à la mesure du tempérament de la Magnani.

Annexes

Baby Doll*, d'Elia Kazan, 1956. Avec Karl Malden dans le rôle d'Archie Lee, Carroll Baker dans le rôle-titre et Eli Wallach dans celui de Silva Vacarro. Scénario adapté de deux pièces en un acte : *27 Remorques pleines de coton* et *Le dîner qui laisse à désirer* (ou *Le Long Séjour interrompu*).

La Chatte sur un toit brûlant*, de Richard Brooks, 1958. Avec Elizabeth Taylor dans le rôle de Maggie la Chatte, Paul Newman dans le rôle de Brick Pollitt et Burl Ives dans celui de Big Daddy. Tennessee détestait ce film et criait devant les cinémas : « N'allez pas voir ça ! »

Soudain l'été dernier*, de Joseph Mankiewicz, 1959. Avec Katharine Hepburn dans le rôle de Violet Venable, Liz Taylor dans le rôle de Catharine Holly et Montgomery Clift dans celui du neurochirurgien. Tennessee a cosigné le script avec son ami Gore Vidal.

L'Homme à la peau de serpent*, de Sidney Lumet, 1960. Avec Marlon Brando dans le rôle de Valentin Xavier, Anna Magnani dans le rôle de Lady Torrance et Maureen Stapleton dans le rôle de Vee Talbot. Le film est une adaptation de *La Descente d'Orphée*. Brando et Magnani se sont disputés sur le tournage, le film s'en ressent.

Été et fumée, de Peter Glenville, 1961. Avec Geraldine Page dans le rôle d'Alma Winemiller et Laurence Harvey dans celui du Dr Buchanan.

Le Visage du plaisir, de José Quintero, 1961. Avec Vivien Leigh dans le rôle de Mrs Stone et Warren Beatty dans celui de Pablo. Adaptation réussie du premier roman de Tennessee : *Le Printemps romain de Mrs Stone*.

Doux Oiseau de jeunesse, de Richard Brooks, 1962. Avec Geraldine Page dans le rôle d'Alexandra del Lago et Paul Newman dans celui de Chance Wayne.

L'École des jeunes mariés, de George Roy Hill, 1962. Avec Jane Fonda. Adaptation d'une comédie légère, *Period of Adjustment*.

La Nuit de l'iguane, de John Huston. Avec Ava Gardner dans le rôle de Maxine Faulk, Richard Burton dans le rôle du révérend Shannon et Deborah Kerr dans celui d'Hannah

Filmographie

Jelkes. Un chef-d'œuvre tourné sur la plage de Mismaloya, à Puerto Vallerta, au Mexique.

Propriété interdite, de Sydney Pollack, 1966. Avec Robert Redford, Natalie Wood et Charles Bronson. Scénario de Francis Ford Coppola, d'après une pièce en un acte de Tennessee : *This Property is condemned*.

*Boom !** de Joseph Losey, 1968. Avec Liz Taylor dans le rôle de Mrs Goforth et Richard Burton dans celui de Christopher Flanders. D'après *Le train de l'aube ne s'arrête plus ici*.

The Last of The Mobile Hot Shots, de Sidney Lumet, 1970. Avec James Coburn et Lynn Redgrave. Scénario de Gore Vidal d'après la pièce de Tennessee *Paradis sur terre*. Film inédit en France.

Noir et Blanc, de Claire Devers, 1986. Avec Francis Frappat, Jacques Martial et Isaach de Bankolé. D'après la nouvelle de Tennessee *Le Masseur noir*.

La Ménagerie de verre, de Paul Newman, 1987. Avec John Malkovich dans le rôle de Tom.

Tennessee Williams a travaillé aux scénarios de sept films (marqués d'un *) adaptés de ses pièces.

Table des matières

259

Table des matières

Cet ouvrage a été réalisé par la
SOCIÉTÉ NOUVELLE FIRMIN-DIDOT
Mesnil-sur-l'Estrée
pour le compte des Éditions Balland
en septembre 1992

Imprimé en France
Dépôt légal : septembre 1992
N° d'impression : 21698
ISBN : 2-7158-0959-X
919757-8